Gert Loschütz

DUNKLE GESELLSCHAFT

Gert Loschütz

DUNKLE GESELLSCHAFT

Roman in zehn Regennächten

Frankfurter Verlagsanstalt

1

DUNKLE GESELLSCHAFT

Mich ausgerechnet, der immer in Städten am Fluss gelebt hat, ja nicht selten am Fluss selbst, so dass mindestens ein Fenster aufs Wasser hinaus zeigte, und der, ohne dass es ihm klar war, die Überzeugung pflegte, dass Städte ohne Fluss gar keine richtigen Städte sind, weil ihnen die Achse fehlt, an der sie sich ausrichten können, weshalb sie bestenfalls eine Ansammlung von Gebäuden, Straßen und Plätzen darstellen, etwas mehr oder weniger grund- und richtungslos Zusammengewürfeltes, ausgerechnet mich hat es in diese flusslose Gegend verschlagen, in der das einzige Wasser, das man zu sehen bekommt, jenes ist, das unaufhörlich vom Himmel fällt, nicht als heftig prasselnder Guss, sondern als laue Dauerveranstaltung, als Niesel-, Faden- und Strippenregen, der die ohnehin reichlich vorhandene Erde anschwellen lässt und sie über die als Asphaltpisten durch die Felder gelegten Wege schwemmt – ein mit Asphalt unterfüttertes Lehmband, dem ich nachts, wenn mich die Unruhe raustreibt, folge, während ich weiß, dass zur selben Zeit an meinen früheren Wohnungen die Kähne vorüberziehen.

Ach, wie oft habe ich dort, wenn mich das Nebelhorn

weckte, am Fenster gestanden, in der Luft hing der Geruch von verbranntem Öl, ich hörte das Tuckern der Maschine und sah das gelbe, im Dunst eingeschlossene Licht der Brücke. Der Schiffer saß, wie es mir zugedacht war, auf dem hochbeinigen Hocker hinter dem Steuer und spähte hinaus auf den Fluss, in der Dunkelheit war die Ufermarkierung kaum zu erkennen. Das war nachts, während tags die Schiffe der weißen Flotte vorüberkamen. Von allen Fahrgastschiffen, Monbijou, Captain Morgan, Kehrwieder, Condor, Kreuz As, weiß ich bis heute die Namen.

Einmal stand ich da, am Nachmittag, als ich eine dunkle Gesellschaft bemerkte, ganz in Schwarz gekleidete Männer und Frauen auf dem Deck der Kreuz As. Waren es die, vor denen mich mein Großvater meinte warnen zu sollen? Ja, vor vielen Jahren, es war am Kanal, er zeigte mir die Stelle, an der sein Kahn gelegen hatte, er trug seine Manchesterhose und sagte: »Hüte dich vor den Dunklen, den Starren!« Gewöhnlich schweifen die Blicke der Fahrgäste über das Ufer. Sie drehen den Kopf und stoßen sich an. Siehst du das Haus da? Die Brücke? Ihre Stimmen hallen herauf. Die Leute legen die Beine hoch und wenden das Gesicht zur Sonne. Andere, junge Paare, halten sich an der Hand und flüstern, während ihre Augen das Ufer absuchen, wieder andere stehen am Heck und betrachten die seitlich weglaufenden Wellen, aber immer ist eine Bewegung an Deck, Lachen und Rufen. Diese aber saßen wie Schaufensterpuppen auf ihren Bänken, die Hände im Schoß, keine Miene regte sich in den blassen, ja weißen Gesichtern, ihr Blick ging nach vorn, und ihr Mund war ein dünner Strich, ein warmer Tag, aber die Luft über dem Sonnendeck schien gefroren. Mein Großvater war ihnen, als er noch fuhr, auf der Themse begegnet. Inzwischen hatte er seinen Kahn längst verloren, aber die Eisenringe, an denen er festgemacht wurde, waren noch da, sie waren in die von Unkraut überwucherten Steinplatten eingelassen. Er stieß mit dem Fuß dagegen, dass es klirrte. Es war ein alter Kanal, ein Durchstich zwischen Elbe und Havel, den man schon in der Mitte des achtzehnten Jahrhunderts vorgenommen hatte, weshalb man ihn nicht mehr als etwas Künstliches sah, sondern als etwas Natürliches, als einen richtigen Fluss, dem die Strömung fehlte. An seinem Ufer standen die biegsamen Pappeln, ein Stück weiter oben ließen die Weiden ihre Zweige aufs Wasser fallen. »Die Dunklen? Die Starren?« Ich wusste nicht, was er meinte. »Lass man, nu lass man.« Er drehte sich um und bohrte seine Hände in die Hosentaschen. »Gefährliches Volk«, hörte ich ihn, als er weiterging, murmeln. »Thomas, pass auf!« Und nun sah ich so viele Jahre danach das Schiff, die Kreuz As, unter der Brücke durchgleiten.

War es in der folgenden Nacht? Ja, in dieser Nacht erwachte ich von einem Geräusch, es kam von unten, vom Fluss oder vom Weg, der sich am Ufer entlang zog. Eine Mondnacht, das Fenster stand offen, und da war es wieder, ein Pfeifen in der Luft, ein Pfeifen oder Sirren, und als ich ans Fenster kam, sah ich die beiden: Die Frau beugte sich vor, ihre Hände lagen auf dem Geländer, während er hinter ihr stand. Er stand auf dem Weg und hob den Arm, in der Hand hielt er einen dünnen, federnden Stock, eine Rute oder Reitpeitsche, er holte aus und ließ sie auf ihren Rücken und ihr Gesäß niedersausen, ihre Arme waren bedeckt, aber ihr Kleid war bis unter die Achseln hochgeschoben. Der Fluss, auf der anderen Seite der Park, von weitem das Grollen des Verkehrs – Spandauer Damm, Stadtring, Flughafen Tegel –, und da unten, zwischen den Büschen, die beiden. Er hob in einer genau abgemessenen Bewegung den Arm, und schon sauste die Rute oder Reitpeitsche herab. Die Frau gab einen klagenden Laut von sich, machte aber keine Anstalten, ihn abzuwehren, sondern forderte ihn im Gegenteil auf fortzufahren. Indem sie den Griff lockerte, das Geländer erneut, fester umfasste, wandte sie den Kopf, warf einen Blick über die Schulter und nickte. Von der Brücke kam ein wenig Licht, so dass ich ihr Gesicht sehen konnte, die kurze Nase, die runde Stirn, das straff zurückgekämmte, im Nacken zum Knoten gebundene Haar, das im Mondlicht glänzte. Er stand mit dem Rücken zu mir, hob wieder den Arm, und während es Halt in mir schrie, schaute ich stumm und wie gebannt zu, so dass ich erst, als er die Rute (oder Reitpeitsche) in ein Futteral steckte, das ihm eine Hand aus dem Schatten der Büsche reichte, die anderen bemerkte.

Da war sie, die ganze dunkle Gesellschaft. Sie stand im Halbkreis da, halb verdeckt von den Bäumen und Büschen, und nahm die beiden, nachdem er die Rute (oder Reitpeitsche) verstaut und sie ihr Kleid wieder runtergerollt hatte, in die Mitte.

Schwarze Anzüge, schwarze Kleider, blasse, ja weiße Gesichter. Genauso hat er sie mir, als wir am Kanal entlanggingen, beschrieben. Es war nach dem Krieg. Er hatte Ziegel, die am Kanal gebrannt wurden, geladen, war auf dem Nullmeridian die Themse aufwärts an Greenwich vorbeigefahren, am Ufer sah er die Kuppel der Sternwarte und die Türme des Naval College, an dem ich später mein Steuermannspatent erwerben sollte, hatte in Grays die Ladung gelöscht und war auf der Rückfahrt mit einem Frachter zusammengestoßen, und der Kahn, den er von seinem Vater geerbt hatte und der von ihm auf mich kommen sollte, war in Minutenschnelle gesunken. Er wurde aus dem Wasser gezogen und zur Untersuchung in ein Hospital gebracht, und als er da lag, hatte er sich an die Doppelbegegnung erinnert: In der Hafeneinfahrt waren sie ihm auf dem Sonnendeck einer Fähre entgegengekommen. Das war am Nachmittag, kurz bevor sie in Grays festgemacht hatten, und in der folgenden Nacht war er von einem Sirren oder Pfeifen geweckt worden und, wie ich, ans Fenster getreten, aber was er sah, hatte er mir wohlweislich verschwiegen.

Ich beugte mich vor und sah sie über die Brücke stadteinwärts ziehen. Morgen Nachmittag würden sie in einer anderen Stadt auf dem Sonnendeck eines anderen Schiffes sitzen und in der folgenden Nacht einen anderen mit dem Sirren oder Pfeifen ihrer Rute oder Reitpeitsche wecken. Der Mond stand über dem Park, es war taghell, aber als ich mich umdrehte, sah ich das Zimmer in tiefem Dunkel liegen.

Tags darauf stießen in Süddeutschland zwei Züge zusammen; meine Katze wurde von einem Verrückten, der sich am Ufer herumtrieb, vergiftet; von der Reederei, an die ich mich wegen einer Anstellung wandte, erfuhr ich, dass mein Patent (kleine Fahrt, Fluss- und Küstenmotorschiffe) auf Grund einer kürzlich erlassenen Verordnung seine Gültigkeit eingebüßt hatte; über Nacht stürzten die Börsenkurse auf den tiefsten Stand seit vielen Jahren; die Bank, bei der ich meine Ersparnisse angelegt hatte, ging in Konkurs, und wieder einen Monat danach kam ein Brief meines Vermieters, er teilte mir mit, dass er meine Wohnung selber brauche. Danach habe ich beschlossen, mich von allen Flüssen und flussähnlichen Gewässern fern zu halten, mit dem Erfolg, dass ich unentwegt an sie denke. Hier, in der Gegend, in die es mich verschlagen hat, regnet es viel, die Wolken hängen tief, und nachts, wenn ich über die mit Lehm zugeschmierten Asphaltwege gehe, sehe ich die Städte, die Straßen, in denen meine Wohnungen gelegen haben, und mit ihnen die Flüsse, auf denen die Schiffe vorübergleiten.

2
DER ZETTEL

Der Regen ist stärker geworden. Als ich in dieser Nacht die Tür öffne, schlägt er mir in Böen entgegen, ich ziehe den Schirm aus dem Drahtkorb im Flur, stelle ihn wieder zurück und nehme die Mütze vom Haken, bevor ich durch den tropfenden Garten hinaus auf den Dorfplatz gehe. Seit Verlöschen der Straßenlaternen, die pünktlich um Mitternacht abgeschaltet werden, liegt er in völligem Dunkel, aus dem die Schatten der Hausdächer ragen – ein Bauerndorf, hart an der verschwundenen, aber hier und da noch an den verfallenden, mit Graffiti übersäten Wachtürmen erkennbaren Grenze. Mittelland, die verwitterte Inschrift auf einem Findling neben dem nur noch für Hochzeits-, Tauf- oder Beerdigungsfeiern öffnenden Gasthaus besagt *Salzwedel, 5 preuß. Meilen*, der nächste Fluss ist die Elbe, weit genug weg. Die sechs den Dorfkern bildenden Höfe, von denen noch die Hälfte bewirtschaft wird, sind rund um den Platz angeordnet, auf einem Luftbild in der Diele sieht man, dass es ein richtiger, wie mit dem Zirkel geschlagener Kreis ist, zu dem sie sich schließen, eine von Eichen und Buchen umgebene Insel inmitten der sich nach allen Seiten hin weitenden Felder, wo ich, nachts unterwegs, ein Rumoren vernehme, ein Stampfen und Scharren, wohl von den mit ihrer Längsseite zu den Feldern hin liegenden Ställen, in denen die Kühe ihre Leiber aneinander reiben, und wenn ich zurückblicke, ahne ich zwischen den schon fast laublosen Bäumen den Umriss des von mir vor Monatsfrist mit nichts als einem Koffer bezogenen katenähnlichen Hauses. Seit meiner Ankunft fällt dieser lahme, nun, mit Aufkommen des Windes, entschieden gewordene Regen, in den sich Schneegrießel mischt, Schneeregen weht mir über die Felder entgegen – Schneeregen, scharfer Wind, wie in der Nacht vor vielen Jahren, in der ich Daniel noch einmal gesehen habe, auf der Überfahrt nach Ostende.

Ein scharfer Nord trieb Regen und Schnee gegen die in der Dünung rollende Fähre, weshalb die großen, nach Luv gelegenen Fenster der Salons, die ich unablässig durchquerte, mit einer immer wieder verwehenden, zerreißenden Schneeschicht zugesetzt waren: Mal stieß der Blick gegen eine Milchglasscheibe, mal durch einen zerlöcherten Vorhang. Da die Heizung ausgefallen war, hatten die Leute die Überkleider anbehalten, sie kauerten in ihren nassen, einen dumpfen Geruch ausdünstenden Jacken und Mänteln zwischen ihrem Gepäck auf den am Boden festgeschraubten Stühlen und Bänken. Ich stieg die Treppe hoch, und als ich an Deck kam, erblickte ich an der Reling einen Mann, dessen im Rücken von einem

Riegel geraffter Mantel bis zu den Knöcheln reichte, aus einem festen dunklen Stoff, wie er zur Winterausrüstung der Marine gehörte, und zugleich wusste ich, dass er weder Mariner noch Mitglied der Mannschaft sein konnte. Auf das Knarren der Tür hin richtete er sich auf und bewegte sich seltsam leicht durch den überdachten Seitengang, und als er auf das Hauptdeck trat, über das der Regen- und Schneewind fegte, ging er noch immer so – das rollende Schiff, der Wind, der Regen, der Schnee, ich stemmte mich dagegen an, aber er bewegte sich, als würde er von einer Hand im Rücken, unter den Armen gehalten, vorwärts geschoben, oder als ginge jemand vor ihm her, der einen riesigen, ihn vor den Hieben des Wetters schützenden Schirm aufgespannt hatte, sein Mantelkragen war bis über die Ohren hochgeschlagen, er kehrte mir den Rücken zu, ich sah kaum mehr als ein Stück der sich kräuselnden, jetzt vor Regen und Schnee im Brückenlicht glitzernden Haare, er trieb dicht an dem aufragenden Deckshaus vorbei, und als er in den anderen Seitengang bog, wusste ich, wer er war, wusste ich, dass ich ihn kannte, doch als ich selbst in diesen Gang bog, war er schon durch eine Tür ins Innere des Schiffes getreten.

Und noch etwas fällt mir ein: Ostende, der Bahnhof, der Wartesaal, der von Speiseresten verklebte Tisch, an dem ich nach Ankunft der Fähre an Moorehead geschrieben habe ... Mr. Henry Moorehead, Royal Naval College,

Greenwich ... *Mister Moorehead, Sir, kann es sein, dass Daniel in London war, obwohl es doch hieß, er sei nach Hause gefahren?*

Ich bewohnte damals – zu Beginn der siebziger Jahre – ein kaum zwölf Quadratmeter großes Zimmer. Die Tür führte auf einen Gang, durch den morgens um fünf die Pfeife des Wachhabenden gellte, ein langgezogenes Trillern, das uns – mich und die anderen Kadetten und Handelsschiffsleute, die ihre Zimmer auf demselben Gang hatten – aus den Betten scheuchte. Der Blick ging auf den Innenhof, ein Karree, das vom Hauptgebäude des Schlosses, den beiden vorspringenden Flügeln und dem *dorm*, dem Unterkunftstrakt, gebildet wurde. Wenn ich mich aus dem Fenster beugte, sah ich hinter den flachen Dächern der schon außerhalb der Umzäunung liegenden Bootshäuser das bleigraue Wasser der Themse.

Die eine Wand wurde fast völlig von einem schmalen Bett eingenommen, dessen Auflage aus einer Reihe von Brettern bestand, die unsere Vorgänger aus dem Wasser gefischt, auf die richtige Länge geschnitten und uns als ihr Vermächtnis ins Gestell gelegt hatten, keins der Betten in keinem der zahlreichen Zimmer des *dorm* verfügte über eine Matratze oder über einen Lattenrost, in allen lagen diese Bretter, die uns ihre Kanten ins Rückenfleisch pressten, und eine graue Decke mit dem eingewebten Porträt eines Mannes, das nach Auskunft von Griffiths, der wie Daniel und Harris auf demselben Gang wohnte, den Ersten Seelord vorstellte. Auf dem Regal an der anderen Wand standen neben den damals gebräuchlichen Nachschlagewerken die Bücher, mit deren Hilfe ich mich nachts an die Ufer anderer Flüsse versetzte: *Reisen zu den Quellen des Nil, Die Weiden, Der Strom, Auf dem Mississippi* ... darunter, auf dem an die Wand gedübelten Brett, stapelten sich Karten und Tabellen, nach denen ich meine Berechnungen über den Einfluss der Strömung auf den Kurs und das Verhalten des Schiffes anstellte, und an der Tür hing die Vergrößerung eines Stiches von Henry Hudson, den ich wegen seines Verschwindens von allen Entdeckern vielleicht am meisten verehrte. Dieses wortlose Davonsegeln im Morgengrauen (und Nichtzurückkommen) schien mir im Gegensatz zu dem großmäuligen Herumschwadronieren der anderen See- und Entdeckerhelden von Bescheidenheit und Größe zu zeugen.

Das Licht kam von einer blanken Glühbirne unter der Decke. Wenn ich beim An- und Auskleiden die Arme hochstreckte, stieß ich dagegen, und wenn ich rasch von einer Wand zur anderen ging, eckte ich an, ich prallte gegen den Bettpfosten, den Spind, das Schreibtischbrett, den Türgriff, bald hatte ich überall blaue Flecke; da ich mit den Schultern über die Bettkanten ragte, lag ich auf der Seite, und wenn ich einschlief, hörte ich die Befehle des Maats, der uns nach dem Wecken mit heiseren Schreien in die Boote und in den Booten über die Themse hetzte.

Er stand im Heck des Begleitboots und schrie sein »Pull, man, pull!« in die Flüstertüte, während wir uns, Kadetten wie Handelsschiffsleute, in die Riemen warfen. Vor mir der Nacken von Harris, von dem die Schweißtropfen sprangen, vor ihm Griffiths, und hinter mir Daniels Keuchen, Daniel, der nach dem Examen ohne Umwege Marineminister seines Landes werden sollte. Darauf angesprochen, führte er die Hand an den Kragen, wie um zu prüfen, ob der Knopf geschlossen sei, und lächelte freundlich, ohne etwas zu sagen, weshalb wir dachten, dass das Gerücht nicht ganz aus der Luft gegriffen sein könne. Manchmal klopfte er an meiner Tür, und wenn ich ja rief, trat er ein, setzte sich aufs Bett, blätterte in meinen Büchern, betrachtete das Hudson-Plakat und ging dann wieder. In der Messe, in der er meistens allein am Tisch saß, glänzte seine weiße Uniform unter den Kristalltropfen des Kronleuchters, die ein nach allen Seiten hin funkelndes Licht abstrahlten, während sich sein tabakbraunes Gesicht vor den in Jahrhunderten eingedunkelten Paneelen in nichts auflöste. Es war, als schaute man durch es hindurch oder als säße da ein Geköpfter.

»Mein Gott, kannst du einen erschrecken«, sagte ich, als er auf der zur Themse hin gelegenen Schanze auftauchte.

Es war gegen elf, elf Uhr abends, Ende September, ungewöhnlich warm. Ja, jetzt, während ich mich auf dem Asphaltweg gegen den Schnee- und Regenwind stemme, fällt mir ein, dass ein Wärmeeinbruch die Temperatur in die Höhe getrieben hatte. Am Nachmittag war es so kalt, dass wir im Kartenraum gefroren hatten, doch am Abend war es so warm, dass ich die Jacke auszog und sie neben mich legte. Ich saß auf der Mauer und schrieb einen Brief, der Block lag auf meinen Knien, ich hielt ihn mit der linken Hand fest, in der rechten den Stift, die Taschenlampe im Mund, der Strahl war auf die Seite gerichtet.

»Ich dich? Du mich!«

Daniel war am Fluss entlanggegangen und hatte meinen Kopf wie einen Halloween-Kürbis über der Mauer schweben sehen. »Was machst du da?« Ich zögerte. »Geometrie.« Während ich tatsächlich die Sache mit der Schaluppe notiert hatte. Wenn wir über den alten Treidelweg gingen, kam sie manchmal von der Isle of Dogs herüber, fuhr langsam vorbei, Richtung Deptford Creek, drehte und kam uns wieder entgegen, fuhr bis Lovell's Wharf, drehte erneut und blieb in der Flussmitte liegen. Im Ruderhaus brannte ein grünes Licht, der Mann am Steuer war nicht mehr als ein Schemen. Da die Kabinenfenster verhängt waren, konnte man nicht ins Innere sehen, nie zeigte sich jemand an Deck, und doch hatte ich das Gefühl, als schaute jemand herüber. Das Schiff lag in der Mitte des Flusses, und wenn wir zur Schanze hochstiegen, drehte es bei und lief wieder zur Isle of Dogs hinüber.

Daniel trat heran und blickte auf meinen Block, weshalb ich die Hand darauf legte. »Geometrie?« Er kniff die Augen zusammen, dann wandte er sich ab und ging mit flatternden Hosen zum Eingang des Tunnels, der unterm *dorm* hindurch auf den Innenhof führte. Er war der einzige, fällt mir jetzt ein, der selbst in seiner Freizeit gekleidet war, als wäre er abkommandiert zur Parade. Wir schoben es auf seine Herkunft von einer alten, uns (den anderen Kadetten und Handelsschiffsleuten) unbekannten, in Ostafrika aber bis heute mächtigen Herrscherfamilie. Am Eingang drehte er sich um, aber das merkte ich, da sich sein Gesicht schon wieder im Dunkel aufgelöst hatte, nur an den blinkenden, sich wie eine Lichterkette an seiner Jacke hochziehenden Messingknöpfen. Plötzlich hatte ich vom Fluss her den Wasser- und Dieselgeruch in der Nase und hörte ihn mit seiner gurgelnden Stimme sagen: »Übrigens, Thomas, kommt sie nicht von der Isle of Dogs.« Worauf ich auf die Stelle über dem obersten Lichtpunkt starrte. »Woher dann?« Aber er hatte sich abgewandt und war in den Tunnel hineingegangen.

Dieses Gespräch (wenn man es so nennen will) hat am Abend des 25. Oktober stattgefunden. Ich erinnere mich deshalb daran, weil es der Geburtstag meines Großvaters war, dem ich von der Schaluppe berichten wollte. Seit seiner Havarie sammelte er alles, was er über die Themse in Erfahrung bringen konnte. In seinem Schrank standen mehrere Ordner, in denen er Karten, Tabellen,

Artikel und Fotos aufbewahrte. »Hab ein Auge auf alles!« so das Wort, das er mir beim Abschied zum Zugfenster hochgerufen hatte. Und da war mir klar gewesen, dass er mir die Rolle des Ausgucks zugedacht hatte. Wobei es, wie ich später sah, vor allem die schlechten Nachrichten waren, die sein Interesse fanden: Rauchsäule über den Docks, liberianischer Frachter mit Schlagseite in der Fahrrinne, russischer Seemann im Freihafen tot aus dem Wasser gezogen. Das war es, was er, anders als das ihm (beispielsweise) ebenfalls gemeldete Einlaufen der über die Toppen geflaggten *Queen Mary*, rot unterstrich und mit einem Wort oder Ausrufezeichen am Rand kommentierte.

Am Abend des 25. Oktober also hab ich Daniel gesehen, wir haben ein paar Worte gewechselt, er machte eine Bemerkung, die klang, als ob er in meinen Kopf blicken könne, während es mir schien, als ob sich sein Gesicht in der Dunkelheit aufgelöst hätte, am 25. Oktober, abends gegen elf, und danach nicht wieder.

Am nächsten Morgen, als wir in die Boote stiegen (acht, mit je vier Kadetten und Handelsschiffsleuten), blieb sein Platz leer. Statt seiner erschien über uns, auf dem Weg, der zum College anstieg, ein dünnes Bürschchen, ebenfalls Afrikaner, den ich anfangs für Daniel gehalten habe. Es war noch dunkel oder fast dunkel, noch nicht hell, es dämmerte gerade, und so wie Daniel in der Dunkelheit verschwunden war, tauchte dieser daraus auf, begleitet von Speke, dem Direktor, der hinter ihm ging, weshalb ich ihn nicht sofort gesehen habe. Sie kamen in dem rasch heller werdenden Licht den Weg herunter. Speke sprach mit Allan, dem Maat, dann traten sie hinaus auf den Steg, Speke, Kapitän zur See, und Allan, ein Mann von vierzig Jahren, und zwischen ihnen der Junge, den sie um einen Kopf überragten. Als sie heran waren, ging Allan in die Hocke und hielt den Dollbord fest, während ich dem Jungen die Hand entgegenstreckte. Das Boot war leicht gebaut, es lag so flach im Wasser, dass die kleinste Ungeschicklichkeit beim Ein- oder Aussteigen genügte, es kentern zu lassen. Ich hielt ihm die Hand hin, weil ich keine Lust hatte, in der Themse zu landen, doch er zögerte ... ich erinnere mich an seinen Blick, der etwas Abschätziges hatte, als sei er unschlüssig, ob er mir die Hand überlassen könne, und als er sie mir gab, hatte ich das Gefühl, ins Leere zu fassen, sie war wie Watte, weshalb ich seinen Arm ein Stück über dem Handgelenk packte.

Als er auf dem Rollsitz saß, auf dem bisher Daniel gesessen hatte, gab Allan dem Boot einen Stoß, und wir fuhren mit ein paar Schlägen zu der die Startlinie markierenden Boje hinaus, an der die anderen Boote mit aufgestellten Rudern nebeneinander versammelt waren, und als Allan in das Motorboot stieg, mit dem er uns folgte, drehte ich mich auf ein Geräusch hin um. Der Junge saß zusammengekrümmt da, seine Füße, die in nagelneuen Turnschuhen steckten, waren vom Stemmbrett gerutscht und auf den Bootsboden geschlagen, während seine Hände locker die Griffe umfassten. Überflüssig zu sagen, dass wir das Rennen um Längen verloren haben. Lange vor der Zielboje bei Badcock's Wharf hingen wir so weit zurück, dass uns die anderen schon wieder entgegenkamen.

»Wo ist Daniel?« fragte ich Allan, nachdem wir das Boot aus dem Wasser gezogen hatten. Er winkte ab, dann schaute er den anderen nach, die vorgegangen waren, Griffiths und Harris nahmen die Abkürzung über den Rasen, während der Neue auf dem Weg geblieben war, der im Bogen zum College führte. Plötzlich schwenkten sie ab und wälzten sich auf ihn zu, gute Ruderer beide, mittelgroß, stämmig, breite Schädel, die jetzt wie Rammböcke vorgeschoben waren, und da wusste ich, dass sie vorhatten, ihn wegen des Ausgangs des Rennens (dem letzten vor den Prüfungen) in die Mangel zu nehmen. Doch kurz bevor sie den Weg erreichten, blieb er stehen, drehte sich um und blickte zur Themse zurück, worauf sie ins Stocken gerieten, sie hielten ein, um nach einem erneuten Schwenk zum *dorm* hinaufzugehen. Und als er die Hand über die Augen legte, glaubte ich wieder, in der leichten, fließenden Bewegung, mit der er es tat, Daniel zu sehen.

Beim Appell wurde er uns von Moorehead, dem Navigationslehrer, als Obadja Kwimroe vorgestellt, wobei

Kwimroe Moorehead dahingehend verbesserte, dass Kwimroe wie Kwimroi gesprochen wurde. Wir waren in Hufeneisenform angetreten, er mir gegenüber, so dass ich ihn im Auge hatte. Er tat einen Schritt vor und rief: »Kwimroi!« Seine Stimme hallte durch den Hof, worauf ihm alle den Kopf zudrehten. Moorehead war in Zivil, er hatte seine grüne Tweedjacke an, dieselbe, die ich später in Griffiths' Zimmer gesehen habe, nein, halt, nicht die Jacke, sondern ein Stück Stoff, das jemand aus dem Futter geschnitten hatte, nun, an diesem Morgen fasste Moorehead in die Tasche, zog einen blauen Zettel hervor, warf einen Blick darauf, dann wandte er sich an Speke, der sonst nie am Appell teilnahm, an diesem Morgen aber war plötzlich die Tür aufgegangen, Speke war die Treppe runtergekommen und neben Moorehead am offenen Ende des Hufeisens stehen geblieben. Dieser schaute ihn an, doch Speke blickte an ihm vorbei, worauf Moorehead den Zettel in der Hand zerdrückte und ihn in die Tasche steckte. Später hatte ich sofort das Bild vor Augen: Mooreheads Hand mit dem Zettel (auf dem wohl der Name stand, Kwimroe oder Kwimroi) und Kwimroes Blick, der sich daran festgesaugt hatte, und als Moorehead den Zettel zerdrückte, war ein panischer Ausdruck in Kwimroes Augen getreten, dann Trotz oder Hohn. Obwohl um ein Beträchtliches kleiner als Moorehead, schien er plötzlich von oben auf ihn herabzusehen, er hob ein wenig den Kopf und blickte auf Moorehead herab, der sich wohl aus Ärger über Speke, der der Grenzüberschreitung des Neuen nicht Einhalt gebot, schon abgewandt hatte. Er ging ein paar Schritte zur Seite, so dass es Speke war, der uns die Mitteilung machte, die Reihen lösten sich bereits auf, als er rief, Daniel habe das College verlassen und sei nach Hause gefahren. In der Tür zum *dorm* drehte ich mich noch mal um und sah, dass Moorehead den Spray aus der Tasche gezogen hatte. Er stand an der Treppe zum Verwaltungstrakt, hielt das Metallfläschchen an den Mund, er hielt es in der einen Hand und deckte es mit der anderen ab, während er von unten gegen den Plastikkopf drückte.

Wie die meisten ledigen Lehrer hatte er seine Wohnung im Schloss, zwei Zimmer, die, laut Harris, der sich einmal die Stiege hochgeschlichen hatte, kaum größer als unsere, mit Büchern voll gestopft waren. Er war ein hagerer Mann mit einem achtlos schlurfenden Gang, der trotz seiner luftabschnürenden Krankheit eine süchtige Freude am Rauchen hatte, und jetzt leuchtet im Schneeregen durchwehten Himmel über dem durch die niedersächsischen Äcker gelegten Asphaltweg wie ein rechteckiger Mond die gelbblaue Schachtel Muratti, eine Sorte, die es in Greenwich nicht gab, weshalb er sie von seinen Besuchen in London mitbrachte. Er fuhr in die City, und wenn er zurückkam, sah man ihn mit einer durchsichtigen Plastiktüte, darin zwei gelbblaue Stangen und eine Anzahl von grünen Pfefferminzdosen, die Treppe zur Galerie und von dort weiter die Stiege zur Wohnung hochsteigen. Er rauchte oder lutschte, und wenn er merkte, dass ein Anfall nahte, zog er das Fläschchen hervor und drehte sich weg, während er den Daumen auf den Plastikkopf presste.

An diesem Morgen trug Kwimroe den gleichen Trainingsanzug wie wir, die anderen Kadetten und Handelsschiffsleute, am Mittag aber sah ich ihn schon – wie Daniel – in einer weißen Ausgehuniform vor der dunklen Täfelung der Messe sitzen. Auf die Frage, ob er Daniel kenne, fasste er sich an den Kragen, als sei ihm dieser zu eng, dann lächelte er und legte die Hände über den Knien zusammen; seine Augen, in denen das Weiß einen roten Schimmer hatte, gingen zum Fenster hinaus, und als ich ihnen folgte, sah ich die Isle of Dogs aus dem Regen auftauchen. Am Morgen hatte die Sonne geschienen, am Mittag hatte es zu regnen begonnen, dichter Regen fiel, nun ging ein Vorhang auf und wurde gleich wieder zugezogen. »Daniel«, sagte ich. Aber Kwimroe hörte mich nicht, es schien, als sei er übergangslos in einen tiefen Schlaf gefallen. Griffiths, der mir an Kwimroes Tisch gefolgt war, schaute ihn voller Groll an, dann hob er den Kopf, schnitt eine Grimasse und tippte mit dem Finger an die Stirn, doch plötzlich zuckte er zusammen. »Ach«, sagte er, »komm!« Und als wir ins *dorm* traten, erzählte er, Daniel sei nach Hause gefahren, weil er einen Anruf erhalten habe. »Woher weißt du das?«

»Von Allan.« »Einen Anruf?« Er nickte. »Wann?« »Gestern Abend.«

Gegen elf waren wir uns auf der Schanze begegnet. Hätte er zu diesem Zeitpunkt gewusst, dass er abreisen würde, hätte er etwas gesagt. (Auch wenn wir nicht befreundet waren, war es doch so, dass wir uns gut verstanden haben.) Er hätte gesagt: Thomas, ich fahre ab. Doch das hatte er nicht, also war der Anruf erst später erfolgt. Um zwölf hatte ich aus dem Fenster geschaut. In der Wachstube brannte Licht, der Hof lag im Dunkel, der Himmel war von den Lichtern der City rot, noch immer sehr warm, kein Regen, aber Regenluft, die sich als ein Wasserfilm auf die Gesichtshaut legte, die Fahne in der Mitte des Hofs hing wie ein Lappen herunter. Ich hab das Fenster geschlossen, mich aufs Bett gelegt und ein Buch aufgeschlagen, *The Great Basin of the Nile*, das mir Moorehead nach einem Gespräch über den Ursprung der Flüsse gegeben hatte. Um zwei hab ich das Licht gelöscht, also danach. Danach muss jemand über den Hof gekommen sein, bei ihm geklopft haben. »Mister Kamrasi, Telefon!« Der Wachhabende, dessen Aufgabe das war, stieg die Treppe hoch, ging mit knallenden Absätzen durch die Flure. Selbst wenn ich schon geschlafen hätte, wäre ich, wären wir davon wach geworden. Aber das waren wir nicht, keiner konnte sich erinnern, weder an das Knallen von Absätzen noch an das Klappen von Türen. Griffiths, der neben Daniel wohnte (und nun neben

Kwimroe), sagte, er habe nichts gehört, ebenso Harris, der sein Zimmer auf der anderen Flurseite hatte. Der Name des Wachhabenden war aus einem Grund, der mir entfallen ist, nicht in Erfahrung zu bringen. Aber ich weiß noch, ein paar Tage danach habe ich mit Moorehead gesprochen. Das Buch, das er mir geliehen hatte, stammte von Samuel White Baker. 1886 erschienen, hatte es ursprünglich in der Bibliothek gestanden, und als es wegen seines schlechten Zustandes ausgemustert wurde, hatte Moorehead es an sich genommen. Der Umschlag war abgerissen, und ich erinnere mich, dass jemand in dem von Pfeilgiften handelnden Kapitel mit rotem Stift *racism* über die Seiten geschrieben hatte. Ich gab ihm das Buch zurück und fragte dann: »Mr. Moorehead, wissen Sie, was mit Daniel ist? Warum ist er nach Hause gefahren?«

Es war nach dem Unterricht, die anderen waren schon rausgegangen. Wir waren allein. Moorehead blickte auf, und als er zu einer Antwort ansetzte, schob Griffiths seinen Kopf zur Tür herein und pfiff durch die Zähne. »Thomas!« Worauf Moorehead den Blick senkte, er schaute auf den Tisch, während er langsam die Bücher zusammenlegte, er rückte sie in die Tischmitte und sagte, ohne den Kopf zu heben, mit leiser, kaum hörbarer Stimme: »Thomas, passen Sie auf, mit wem Sie verkehren.« Dann klemmte er die Bücher unter den Arm, stand auf, ging durch die andere Tür hinaus auf die Galerie, und plötzlich war mir ein Wort eingefallen, das ich im Sommer mitgehört hatte. Ich saß auf der Treppe vorm Schloss. Moorehead und Speke standen in der Nähe. Moorehead zog die Jacke aus, hängte sie über die Schulter, das gelbgrün changierende Futter, das nach außen geschlagen war, glänzte, und als Griffiths und Harris die Treppe runterkamen, war das Wort – »Keine Leuchten!« – gefallen. Moorehead hatte leise gesprochen, mehr zu sich selbst, es war kaum mehr als ein Seufzen, aber Harris hatte ihn gehört. Er hatte sich umgedreht und ihm einen Blick zugeworfen.

»Was hast du von ihm gewollt?«

Als Moorehead rausging, war Griffiths reingekommen. Er setzte sich auf den Tisch, stützte sich mit der einen Hand ab, strich sich mit der anderen durchs Haar, während seine Augen auf mich gerichtet waren. Er forschte in meinem Gesicht. Er hatte kleine graue Augen mit kurzen farblosen Wimpern, sein Haar war wie bei uns allen (Kadetten und Handelsschiffsleuten) auf die in diesem altehrwürdigen Institut obligatorischen vier Millimeter heruntergeschoren, und zum ersten Mal sah ich, dass sich seine Geheimratsecken schon weit in Richtung Schädelmitte vorgefressen hatten. An der Hand trug er einen Siegelring, mit dem er manchmal, wenn er bei einer Klassenarbeit nicht weiterkam, die ersten Takte von *With a Little Help from My Friends* auf die Tischkante klopfte, er ließ die Hand sinken, und wenn ich zischte, schob er sie zurück, worauf ich ihm einen Zettel zwischen die Finger steckte.

Die kurzen Wimpern, der Ring, der forschende Blick, wie er da saß, auf dem Tisch, auf dem eben noch der White Baker und Mooreheads Bücher gelegen hatten, und auf einmal, erinnere ich mich, war mir alles, das sich mir bietende Bild, die ganze Erscheinung zuwider, und als hätte er meine Gedanken erraten (es waren keine, eher ein sich verdichtender Überdruss), spannten sich seine Nackenmuskeln, er streckte den Schädel vor, bis er die Rammbockhaltung hatte, doch als ich schon glaubte, dass er über mich herfallen würde (weshalb ich rasch zurücktrat), sackte er wie ein Häufchen Elend in sich zusammen. »Ach, Thomas!« Er nickte ein paarmal, als ob er mir insgeheim Recht geben wolle, wobei ein leises Pfeifen wie aus einer gequetschten Lunge ertönte, dann wälzte er sich vom Tisch und nahm, in jäh aufschießender Munterkeit, meinen Arm, und als wir auf die Galerie hinaustraten, standen Harris und Kwimroe da, die ich noch nie zusammen gesehen hatte: Harris an der Wand neben der Stiege, die zu Mooreheads Wohnung führte, Kwimroe am Geländer, ihm gegenüber. Und obwohl sie sich den Anschein gaben, als stünden sie zufällig da, war klar, sie hatten auf uns gewartet.

Harris zwinkerte mir zu, und da fiel mir die gelbblaue Zigarettenschachtel ein, die er zum Beweis, dass er wirklich in Mooreheads Wohnung gewesen war, mitgebracht und zwischen uns – sich, Griffiths, mir – aufgeteilt hatte. Unwillkürlich trat ich an die Stiege heran und schaute in den Aufgang hinein, den er sich hochgeschlichen hatte, und ich weiß noch, dass die Stufen – eine Holztreppe – in der Mitte wie ein locker gespanntes Seil durchgebogen waren und dass ich im selben Moment hinter mir Harris' Stimme hörte.

»Wenn du ihn suchst, er ist eben vorbeigekommen.«

Ein paar Wochen danach gingen wir – Griffiths, Harris, Kwimroe und ich – über den Treidelweg, ich bückte mich nach einem Stein, holte aus und ließ ihn über das Wasser tanzen. Ein heller Tag, Mitte November, die Bäume von Island Gardens leuchteten als gelbroter Streifen herüber. Harris und Griffiths hatten schon begonnen, Kwimroes Nähe zu suchen, ja man kann sagen, sie waren fast unzertrennlich. In der Messe setzten sie sich an seinen Tisch, und wenn ich abends über den Flur ging, hörte ich hinter seiner Tür ihre Stimmen. Im Klassenraum zogen sie ihren Tisch ein Stück zurück, so dass sie ihn, ohne den Kopf zu wenden, im Blickfeld hatten. (Sie saßen gerade, die Augen nach vorn, aber ich sah, dass sich ihre Körper, wie in Erwartung eines Signals, um ein Winziges in seine Richtung verschoben hatten.) Ich war ein Stück zurückgeblieben und blickte zur Isle of Dogs hinüber, und als ich mich umdrehte, bemerkte ich Kwimroes Augen, er schaute mich forschend an, in den rotweißen Augäpfeln schwammen, umgeben von der braunen Iris, die schwarzen Pupillen. Harris und Griffiths waren ein Stück vorgelaufen, sie bückten sich, hoben etwas auf, und als Kwimroe nickte, wie um mir zu bedeuten, dass ich mich ihnen anschließen solle, hab ich mich umgedreht und bin zurückgegangen. Von der Schanze aus sah ich Harris und Griffiths bei ihm stehen. Kwimroe zeigte ihnen etwas, er hob seinen Arm, etwas lag in seiner offenen Hand. Ich kniff die Augen zusammen, aber ich war zu weit weg, als dass ich es hätte erkennen können. Die beiden beugten sich vor, dann richteten sie sich auf und schauten zur Schanze herüber. Ich stand an der gleichen Stelle, an der ich in der Nacht, in der Daniel aus dem Dunkel aufgetaucht war, gesessen hatte, trat einen Schritt zurück und bin in den Tunnel hineingegangen.

Als ich am Abend bei Griffiths klopfte, lag er auf dem Bett und starrte gegen die Decke. Auf dem Fensterbrett stand eine Flasche mit einer milchigen Flüssigkeit, um die herum dünne Lederbänder, Glasperlen, Nägel und Scherben in verschiedenen Größen und Farben zu einem Muster von sich überschneidenden Ringen angeordnet waren, und dazwischen ein Zettel, der so aussah wie der, den Moorehead beim Appell aus der Tasche gezogen hatte, ein schmaler Streifen, blau, auf den Griffiths in großen Buchstaben MOOREHEAD geschrieben hatte. »Griffiths«, sagte ich, »hast du Angst, dass du den Namen vergisst? Oder welchen Sinn soll das haben?« Aber er antwortete nicht, er lag einfach da, starrte gegen die Decke, und als ich zu Harris ging, quer über den Flur, fand ich die Tür verschlossen.

In dieser Nacht – der Nacht vor der ersten schriftlichen Prüfung – wachte ich immer wieder auf. Das Fenster stand offen, der Wind schoss herein, ich schloss es, aber er drückte mit wütenden Schlägen dagegen, die Scheibe klirrte, die Papiere waren vom Schreibtischbrett geweht und in die hintersten Ecken des Zimmers geflogen, das nur mit Reißzwecken an die Tür gepinnte Hudson-Plakat war an der Stelle, an der der Wind darunter gefahren war, eingerissen; vom Hof drang das Klacken des Fahnendrahtes herauf, die Glühbirne schwang hin und her, und gegen drei – ich schaute auf die Uhr – hob der Wind die Dachziegel an, und ein Heulen tönte durch die, wie ein Blick hinaus zeigte, völlig verlassen liegenden Flure. Als ich am Morgen in den Spiegel schaute, sah ich, dass die Kanten der von unseren Vorgängern auf uns gekommenen Bretter (wohl weil die Decke verrutscht war) tiefere Spuren als sonst hinterlassen hatten, rote, quer über Schulter und Arm verlaufende Rillen, die, als wir am Vormittag an weit auseinander gerückten Einzeltischen im Kartenraum über den Aufgaben saßen, einen pochenden Schmerz abstrahlten.

Die Prüfung begann pünktlich um neun, und als Moorehead um drei befahl, die Blätter einzusammeln, war das Pochen in ein dumpfes Ziehen übergegangen, so dass ich Mühe hatte, den Arm zu heben, weshalb ich

Griffiths, mit dem ich in der Tür zusammentraf, beiseite schob und ins *dorm* lief, um einen Blick auf die Schulter zu werfen. Ich weiß noch, wie ich da stand, halbnackt vorm Spiegel, als Griffiths hereinkam und fragte, ob er mir helfen könne, und dass ich erwiderte: »Griffiths, wobei?« Und dass ich, als er die Hand hob und auf meine Schulter zeigte – »Mein Gott, was ist das?« –, dabei war nicht mehr als eine leichte Verfärbung zu sehen, merkte, dass er den Siegelring gegen einen anderen eingetauscht hatte, einen aus Draht oder Stahl, der aussah, als sei er aus einem der dünnen Nägel gebogen, die auf seinem Fensterbrett gelegen hatten. Als er meinen Blick bemerkte, ließ er die Hand fallen und fragte, ob ich mitkommen wolle. »Wohin?« »Ein Stück an der Themse entlang.« »Gut«, sagte ich, »ich komme mit.« Nicht, weil ich Lust dazu hatte, sondern weil ich nicht wollte, dass er glaubte, ich weigerte mich, weil sie sich Kwimroe angeschlossen hatten, außerdem wollte ich ihn fragen, was die Aufführung am Abend zuvor bedeutet hatte. Gehörst du jetzt auch zu denen, die mit offenen Augen schlafen? Er ging auf den Flur, um draußen zu warten. Ich zog mich an, und als ich ihm folgte, sah ich ihn und Harris, die auf der Treppe saßen, während Kwimroe, die Arme verschränkt vor der Brust, auf dem Absatz darunter am Fensterkreuz lehnte. Er trug einen dicken grauen Mantel, in dem er erwachsener wirkte als sonst, doch als er den Kopf hob, sah ich das gleiche Kindergesicht, das ich an Daniel beobachtet hatte, ein völlig faltenloses Gesicht, das nicht den geringsten Anflug von Bartwuchs zeigte.

Auf dem Weg zur Anlegestelle, an der wir gewöhnlich auf den Treidelweg einbogen, ging er, die Arme noch immer verschränkt, vor uns her, und obwohl er zu weit weg war, um mich hören zu können, fragte ich nicht, was ich hatte fragen wollen: weder nach dem Schlaf mit offenen Augen noch nach den Gegenständen auf dem Fensterbrett, die ich, ohne zu wissen warum, mit Kwimroe in Zusammenhang brachte.

Ich ging zwischen Griffiths und Harris, beide schwiegen, wir schwiegen alle drei, und als sie den Schritt beschleunigten, um Kwimroe einzuholen, blieb ich zurück, drehte dann ab, bog in den King William Walk ein und ging durch den die Themse unterquerenden Fußgängertunnel zur Isle of Dogs, die im Abenddunst vor uns gelegen hatte; hinter Island Gardens tauchte ich aus dem Tunnel auf und folgte der Saunders Street bis zum Newcastle Drawdock, auf den die seit Wochen nicht mehr gesichtete Schaluppe nach ihrem Abdrehen zugehalten hatte, doch außer ein paar umgebauten, jetzt als Yachten genutzten Fischerbooten, die bereits mit Persenning für den Winter gesichert waren, lag nur ein von Möwenkot geweißtes Feuerschiff da, mit zertrümmerten Brückenfenstern. Mittlerweile war es ganz dunkel geworden. Schräg gegenüber, auf der anderen Seite der Themse, die Türme des Naval College und direkt gegenüber Lovell's

Wharf mit dem in den Fluss ragenden Kai, auf dem ich, da gerade die Lichter angingen, die Umrisse von Griffiths, Harris und Kwimroe zu erkennen meinte, die von der anderen Seite herüberschauten.

Das war Anfang Dezember, der erste Prüfungstag, und das letzte Mal, dass ich mit ihnen gesprochen habe, das heißt, bis zu jenem Nachmittag vorm Abend der Abreise, an dem im *dorm* alle Türen geöffnet waren. Die Prüfungen erstreckten sich über einen Zeitraum von drei Wochen, die ich in schlimmster Erinnerung habe. Ich ging früh zu Bett, schlief früh ein, wachte früh auf, memorierte den auf dem Prüfungsplan stehenden Stoff, und wenn ich in den Kartenraum ging, hatte ich alles im Kopf, doch wenn ich darauf zugreifen wollte, meinte ich, das Sirren eines heranfliegenden Windes zu hören, und meinem Wissen ging es wie den Papieren, die vom Schreibtischbrett in die entferntesten Ecken gewirbelt waren, und so wie ich in jener Nacht auf dem Boden herumgekrochen war, um sie einzusammeln, suchte ich (während die Zeit verrann) die in die entferntesten Winkel meines Kopfes vertriebenen Wissensstücke zusammen. Ich schaute verzweifelt herum, und wenn ich glaubte, sie gefunden zu haben und eben zu schreiben begann, merkte ich, dass es die falschen, nicht zur Aufgabe passenden waren, und begann wieder, als lägen sie außerhalb meiner, im Kartenraum herumzustarren, während ich gleichzeitig sah, wie Griffiths und Harris (die sonst zu den Herumstarrern gehörten) im gleichen Rhythmus wie Kwimroe, der rechts vor ihnen saß, Seite um Seite füllten. Und da es mir in der mündlichen Prüfung nicht anders erging, war es vermutlich nur Mooreheads Fürsprache zu danken, dass ich am Ende doch noch bestanden habe.

Bei der Abschlussfeier saßen wir in der sonst nur für Vorträge von Politikern geöffneten Burton Hall, die wegen der Nähe zu Weihnachten mit Tannenreisern und Misteln geschmückt worden war, wodurch der kalte, an ein Kirchenschiff erinnernde Saal einen beinahe wohnlichen Anstrich erhalten hatte, und warteten stocksteif – Körper und Beine in einem Winkel von neunzig Grad, während die Unterarme (streng nach dem Reglement) im Abstand von dreißig Zentimetern wie zwei Holzstäbchen auf den Tischen lagen – darauf, dass wir einzeln auf die Bühne gerufen wurden. Als die Reihe an mich kam, schaute Speke an mir vorbei, und sein Händedruck, mit dem er mir gratulierte, war so lasch wie der von Kwimroe, als ich ihm ins Boot geholfen hatte. Auf dem Weg zurück durch den Mittelgang kam er mir, klein und schmächtig, vor der dunklen Rückwand des Saales entgegen, und als wir auf gleicher Höhe waren, hob er den Kopf und zog auf die gleiche Weise die Augenlider nach oben, mit der er beim Appell auf Moorehead herabgeschaut hatte, der Blick aus seinen stets leicht geröteten Augen, und im nächsten Moment war er vorbeigegangen. Und als ich wieder saß, hörte ich mit den Worten von Speke, dass er – *Wie, Mr. Moorehead, Sir, ist das möglich?* – gefolgt von Griffiths und Harris, die besten Noten des Jahrgangs geschrieben habe.

Nach der Feier ging ich durch den Tunnel und stieg zur Themse hinab.

»Thomas!«

Ich drehte mich um. Es war Moorehead. Er war mir nachgekommen, ich sah seinen Kopf, der über die Schanze ragte. Als ich die Treppe hochging, kam er mir entgegen, nahm meinen Arm und sagte, indem er ihn drückte: »Thomas, gibt es etwas, das Sie mir mitteilen wollen?« Aber ich wusste nicht, was und wie und, wenn, wo ich, ohne dass es nach Entschuldigung schmeckte, hätte beginnen sollen, weshalb ich bloß den Kopf geschüttelt habe. Und als er wieder die Stufen hochstieg, hatte ich wie an dem Tag, an dem ich Daniel zum letzten Mal sah, den Salz- und Dieselgeruch in der Nase. *Erst jetzt, Mr. Moorehead, Sir, hier in Ostende, denke ich, dass ich Ihnen zumindest hätte mitteilen sollen, was ich ein paar Stunden zuvor beobachtet hatte.*

Bevor ich in die Burton Hall ging, hatte ich bei Griffiths hineingeschaut, um, auch wenn unsere Freundschaft beendet war, auf Wiedersehen zu sagen. Die Tür stand offen; alle Türen standen offen, es herrschte ein einziges Hin und Her zwischen den Zimmern. Die meisten fuhren am selben Tag ab, so dass sie mit Packen, letzten Besuchen und dem Austausch von Adressen beschäftigt waren. Mein Zug ging um 22 Uhr 15 von Victoria Station, und da ich nicht wusste, ob ich Griffiths und Harris nach der Feier sehen würde, warf ich einen Blick durch die Tür, aber Griffiths' Zimmer war leer, er war hinausgegangen. Auf dem Bett lag ein Stück Stoff, in dem ich sofort das gelbgrün changierende Futter von Mooreheads Jacke erkannte. Und während ich noch überlegte, was das zu bedeuten habe, kam er mit Harris herein und sagte, dass ich *das* halten solle, darauf drückte er mir eine Wurzel in die Hand, die mit ihren fünf Austrieben – Kopf, Arme, Beine – die Form einer Puppe hatte, nahm das Stück Stoff, wickelte die Wurzel ein, um sie danach, während ich sie noch hielt, mit den Lederbändern vom Fensterbrett wie einen Rollbraten einzuschnüren. Er zog die Bänder so fest, dass sie den Stoff in schmalen Wülsten nach oben pressten, worauf er – »Thomas, warte!« – ans Fensterbrett trat und aus einem dort liegenden Buch einen Zettel nahm, einen daumenlangen Streifen weißen Papiers, den er mit einem Nagel durchbohrte, bevor er ihn auf den in Mooreheads Jackenfutter gewickelten und mit Lederbändern verschnürten Wurzelleib steckte, wie eine Adresse, und tatsächlich stand auf der Rückseite ein mit Tinte geschriebenes Wort, von dem sich einige Buchstabenschlingen seitenverkehrt durchs Papier gefressen hatten, und als ich sie zu Mooreheads (wohl aus einem Heft getrennten) Unterschrift zusammensetzte, nahm mir Harris das Päckchen ab, während mir Griffiths' fleischige Hand – »Danke!« – auf die Schulter klopfte. *Dies, Mr. Moorehead, Sir, hätte ich Ihnen mitteilen sollen.* Aber ich gebe zu, dass ich das Ganze für einen der eben so groben wie gebräuchlichen Examens- und Abschiedsscherze gehalten habe. Und wie hätte ich mein Mittun erklären sollen?

Doch an jenem Abend, kaum war Moorehead durch den Tunnel zurückgegangen, sah ich auf dem Weg zur Anlegestelle eine Prozession – so muss man es nennen –, die sich, Kwimroe voran, im Gänsemarsch zur Themse bewegte. Kwimroe, dann Griffiths, dem Harris folgte. Es war dunkel, doch die Laterne über der Bootshaustür brannte, und als sie daran vorbeikamen, sah ich, dass Harris das Päckchen hielt, bei dessen Verschnürung ich mitgeholfen hatte, er trug es so feierlich vor sich her, dass ich wieder an Ulk, Jux, Theater, Mummenschanz dachte. Doch für wen? Keiner da, der hätte klatschen können. Sie traten auf den Holzsteg hinaus, der unter ihren Schritten knarrte, Griffiths drehte sich um, in der Hand zwei Steine, die er dicht am Körper getragen hatte und nun, da sie am Rand des Stegs versammelt waren, mit einem Gürtel an das Päckchen band, die Puppe, die Wurzel, an das in Mooreheads Jackenfutter eingeschnürte und mit seinem Namen versehene, also an ihn adressierte oder ihn meinende Ding, bevor er es an Kwimroe weiterreichte. Der nahm es mit einer leichten Verneigung entgegen, ging in die Hocke und versenkte es so behutsam im Fluss, dass man da, wo ich stand, nicht mehr als ein Gurgeln hörte, wie aus einem Flaschenhals strömende Luft. Ich war ihnen quer über den Rasen gefolgt, und als sie nebeneinander auf den Treidelweg bogen, Richtung Lovell's Wharf, lief ich zum *dorm*, und keine halbe Stunde danach bin ich zum Bahnhof gefahren, um, wieder zwei Stunden danach, auf die Fähre zu gehen. *Mister Moorehead, Sir, es trüge zu meiner Beruhigung bei, wenn Sie mir eine Zeile zukommen ließen. Ich bin, wie gesagt, in Ostende. In der Hoffnung, keinen Fehler begangen zu haben –*

Mittlerweile war es beinahe Morgen, und da ich den Brief sofort abschicken wollte, es war keine Zeit zu verlieren, trat ich auf die Straße, aber das Postamt, das ich endlich fand, war – natürlich – geschlossen. Ein Hotel, ich brauchte ein Hotel, vielleicht dass man mir dort eine Marke ... und als ich die Neonschrift *Imperial* entdeckte, kam ein großes Auto vom Hafen her über die Straße, fuhr langsam vorbei, hielt, die Innenbeleuchtung ging an, der Fahrer beugte sich, wic auf der Suche nach dem Weg, über die Karte. Er hatte eine Schirmmütze auf, und im Fond saß ein dunkelhäutiger Mann, der den Mantelkragen hochgeschlagen hatte. Ich hielt auf das Auto zu, schwenkte dann ab und ging ins *Imperial*, wo mir ein verschlafenes Mädchen, dem ich den Brief zeigte, eine Marke verkaufte, die sie aus einer schwarzen Mappe nahm, in der, wie ich über den Tresen hinweg sah, auch Fotos kopulierender Paare, wohl von einer in den Zimmern installierten Kamera aufgenommen, in verschiedenen mit römischen Ziffern versehenen Plastikhüllen lagen. Als sie meinen Blick bemerkte, fragte sie: »Willst du eins haben?« Aber obwohl mir die Fotos gefielen, war ich zu schüchtern, ja zu sagen. Während ich die Marke auf den Umschlag klebte, schaute sie mir freundlich zu. Als ich ging, brachte sie mich zur Tür. Das Auto war weitergefahren. Der Schneeregen hatte Ostende erreicht; vom Hafen hörte man das metallische Donnern sich schließender Ladeklappen.

Jahre danach traf ich Allan zufällig auf der Straße. Er erkannte mich nicht, aber nachdem ich mich vorgestellt hatte, erzählte er, Moorehead habe am selben Abend kopfunter, den Spray in der Hand, tot auf der Stiege gelegen; Griffiths sei nach dem Falkland-Krieg zum jüngsten Admiral der königlichen Flotte befördert und Harris – kürzlich – zum Staatssekretär im Handelsministerium berufen worden. Ich war nur zwei Tage in London. Wir standen an der Ecke Portobello/Lonsdale Road, keine zwei Minuten von meinem Hotel, um uns das Geflatter von Papierschnipseln, die ein Junge wie Blumen aus einem über einem Gemüsestand gelegenen Fenster streute, und beim Abschied – Allan gab mir die Hand – merkte ich, dass er mich mit einem Bruce verwechselt hatte. »Mr.

Bruce«, sagte er. Mr. Bruce. Und nun fliegen im Schneeregen auf dem Asphaltweg auch die Bilder heran, die tags darauf – ich hatte gerade bezahlt – in der Hotelhalle über den Fernsehschirm geflimmert waren: BBC News, UNO, ein schwarzer, in seinem Manuskript herumstochernder Redner am Pult, und als ich meinen Koffer nahm, beugte sich jemand von hinten ins Bild, steckte ihm einen Zettel zu, richtete sich wieder auf – und obwohl das Ganze nicht länger als eine Sekunde dauerte, er war nicht länger als eine Sekunde im Bild, bin ich sicher, dass es Kwimroe war, den ich gesehen hatte.

3
SCHLAFWAGENFAHRER

Seit ein paar Tagen regnet es kaum noch, dafür ist der Wind stärker geworden, er fegt, kleine Wasserfontänen aufwirbelnd, über die längst wieder schneefreien Äcker und dringt durch die Ritzen ins Haus, so dass einem die Klinke aus der Hand fliegt und die Türen zuknallen, er heult im Kamin, scharrt an den Fenstern, und wenn ich nachts rausgehe, ist ein scharfes Sausen zu hören. Von den Windrädern auf dem Hügel, die mit ihren Blättern die Luft in Stücke schneiden? Ein Sausen und Rauschen, und dazwischen, von weit her, ein Klirren und Klacken, wie von dem Draht, der im Hof des Naval College gegen den Fahnenmast geschlagen hatte. Das Klimpern nicht zu vergessen: von den Stanniolstreifen in den Kirschbäumen der Bauerngärten? Oder doch von den Münzen, die in der Schlafwagenzeit in meiner Tasche lagen? Trinkgelder, die mir die Reisenden zugesteckt hatten.

Leute mit Flugangst, dachte ich, wenn ich sie abends mit ihren Koffern auf dem Bahnsteig sah. Warum sonst ließen sie sich, obwohl sie für denselben Preis mit dem Flugzeug in einem Bruchteil der Zeit an ihr Ziel gelangt wären, nachts in einer engen Koje wie Stückgut quer durch Europa karren? Wenn ich sie an der Wagentür in Empfang nahm, hatte ich, um es nicht unter ihren Augen tun zu müssen, die Betten schon runtergeklappt, die Laken über die dünne Matratze gebreitet und die Decken bezogen. »Kann ich Ihnen etwas bringen?« sagte ich, wenn ich nach einer Weile bei ihnen klopfte. Ja, konnte ich, meistens, einen Schlaftrunk, einen Drink gegen das Reisefieber. Im Angebot: eine daumengroße Flasche Whisky, die ich, auf Wunsch mit Eis aus der Kühlbox, auf dem Tablett servierte. Oder einen Cognac? Einen Obstler? Ein Viertel Merlot im Plastikbecher aus der Schraubverschlussflasche? Wenn sie zahlten, rundeten sie den Betrag auf – danke, stimmt – oder kramten Münzen hervor und steckten sie mir in die Tasche. Italienische Lire, französische Francs, Schweizer Franken, dänische Kronen, die ich, zurück in Berlin, in ein Glas auf dem Schrank neben der Wohnungstür warf, um sie bei Gelegenheit auf der Bank gegen Mark zu tauschen. Damals, Mitte der Achtziger, ging der Blick vom Fenster aus zwischen zwei Häusern hindurch auf die Havel: Kähne schoben ihre Bugwelle vor sich her, während auf der darüber gespannten Eisenbahnbrücke, die ich ebenfalls sah, die Züge stadtein- oder stadtauswärts fuhren, einen Moment lang trafen sich Zug und Schiff, bevor sie sich wieder voneinander verabschiedeten.

Mein Dienst begann am späten Nachmittag, beziehungsweise am frühen Abend, mit dem Weg ins Büro, wo ich mir die Belegliste für den Schlafwagen holte. Über die Arbeit selbst ist nicht mehr zu sagen, als dass sie die Fähigkeit zur Lebensführung im Dunkeln verlangte, Kopfrechnen, ein nach außen hin freundliches Wesen, dazu eine gewisse Anzahl von ständig zu erneuernden Büchern, die einem die Zeit zwischen Mitternacht und Morgen zu vertreiben halfen. Als ich das meinem Großvater schilderte, schrieb er zurück: Dann hättest du auch auf einer dieser Pressluftdosen anheuern können, die ein geschlagenes halbes Jahr lang, ohne ein einziges Mal aufzutauchen, auf Horchposten unterm Packeis liegen.

Sobald das Klacken ertönte, mit dem die Riegel vorgelegt wurden, ging ich durch den Zug, durch die anderen Wagen und betrachtete die Leute, die in ihren Sitzen zusammengesunken waren, und wenn ich in einem sonst leeren Abteil ein Buch liegen sah, das ich kannte, stellte ich mich ans Fenster, um auf die Rückkehr seines Besitzers zu warten. Nachdem er wieder Platz genommen hatte, betrachtete ich sein Spiegelbild im Fenster, in der Hoffnung, durch ihn etwas über mich zu erfahren: als seien die Leser derselben Bücher Mitglieder einer Familie, die sich weniger in Gesichts- oder Körperähnlichkeit zeigte als vielmehr in einer bestimmten Haltung, die ich, bei ihm entdeckt, auch bei mir finden zu können meinte. War ich so? Hatte ich diesen selbstgewissen Blick? Oder hatten die Fahrten mich schon zu verändern begonnen?

Im Laufe der Zeit verschwand die Welt draußen. Die

Äcker, die Wiesen, die Entwässerungsgräben, die Baumreihen und plötzlich herandrängenden Wald- oder Steinhänge, die Brücken und Tunnel, die Vorstädte mit ihren Fabriken, Lagerhallen, Park- und Rummelplätzen – alles verwandelte sich in eine Kulisse, die am Fenster vorbeigezogen wurde und ebenso unwirklich war wie die sich wiederholenden Unterkünfte, die Hotels mit den Stapeln zerfledderter Zeitschriften auf den Tischen in der Halle und den engen Treppen, die zu den Zimmern mit den bunten Karotapeten hinaufführten, den Schlafzellen, die alle auf die gleiche Weise eingerichtet waren: die Kofferablage neben der Tür, der Einbauschrank, das Bett, der Fernseher in der Ecke. Entweder schlossen die Fenster nicht richtig, so dass man ständig am Rand einer Erkältung war, Ohrenschmerzen hatte, einen entzündeten Hals, oder sie ließen sich nicht öffnen, weshalb man, kaum eingeschlafen, gleich wieder erwachte, weil die Luft verbraucht war, um dann, wach auf dem Rücken liegend, dem Klopfen in den Rohren zu lauschen, in denen einer saß, der mit der Beständigkeit von Rostklopfern immer aufs Neue den Rhythmus zu den Fragen schlug, die sich in meinem Kopf herumwälzten: Was jetzt? Wie weiter? Ich war gerade fünfunddreißig geworden und hatte meinen Kahn, der einer Abschreibungsfirma gehörte, an die Verschrotter verloren und mich tags darauf (aus Trotz? Unabhängigkeitswahn? Unabhängig von den Kähne- und Schiffeverteilern, die an die Stelle der alten Partikuliere getreten waren) im Rekrutierungsbüro der Schlafwagengesellschaft eingefunden. Was jetzt? Wie weiter? klopfte der Mann in den Rohren. Nicht vergessen: Die düsteren, bis unter die Decke gekachelten Toiletten mit den meist erst nachträglich eingebauten Duschkabinen, in denen es so eng war, dass man, wenn einem die Seife aus der Hand glitt und man sie aufheben wollte, hinaustreten musste, weil man sich darin nicht bücken konnte. Die eingeübten Wege schließlich zwischen Unterkunft und Bahnhof, Büro und Zug, Zug und Büro, Bahnhof und Unterkunft, auf denen man im Sommer entweder in die gerade aufgehende oder gerade untergehende Sonne schaute. Oder die man im Winter noch oder schon im Dunkeln zurücklegte. Und dazwischen wieder das Schlagen der Räder, das gedämpfte Licht im Abteilgang, die am Fenster vorbeiziehende Landschafts- und Städtekulisse, die nur an den Bahnhöfen angehalten wurde – alles das bewirkte, dass sich die Welt draußen (obwohl wir ja draußen waren) in einem flirrenden, lichterdurchzuckten Kopfnebel auflöste.

Es gab Kollegen, ältere zumal, die über ein Jahr nicht zu Hause gewesen waren, ja, es fragte sich, ob sie überhaupt noch eins hatten oder ob sie nicht längst in den Zügen wohnten, weshalb sie mich manchmal an jene besondere Sorte von *homeless* erinnerten, die, ohne ein einziges Mal ans Tageslicht zu kommen, in den New Yorker U-Bahn-Schächten hausten. Sie waren es, die mich, als ich einmal dort war, am meisten beeindruckt hatten, diese Schattenmenschen, deren Haut – gleich, ob ursprünglich weiß oder schwarz – ausnahmslos eine olivgrüne Farbe angenommen hatte. Bei den einen lagen die Augen in tiefen Höhlen, bei anderen hatten sie sich vorgestülpt, so dass sie ihnen wie kleine Knöpfe im Gesicht saßen, es waren Maulwurfsaugen oder die von Fröschen, die sie, ohne den Kopf zu bewegen, in jede Richtung drehen konnten. Anstatt mit den Autogeschwindigkeit erreichenden Aufzügen in die Höhe zu rasen, um einen Blick auf Manhattan zu werfen, bin ich immer wieder in diesen Orkus hinabgestiegen und mit der Subway ohne Verstand hierhin und dahin gefahren. Es war ja so, dass das U-Bahn-Rattern manchmal in einem Höllenlärm explodierte, und wenn man aufblickte, sah man schon einen der Olivgrünen in der Tür zwischen den Wagen Aufstellung nehmen; er war vom Nachbarwagen herübergekommen, verharrte einen Moment, bevor er sich in Richtung Wagenmitte bewegte, um singend, tanzend, oft unter den absurdesten Verrenkungen, seine Leidensgeschichte zu erzählen. Beim einen war's dies, beim anderen das. Und am Ende kam alles bei allen zusammen. Allen hatte die Subway ihre Schmutzfarbe ins Gesicht gebrannt, dieses Olivgrün, das man bei genauerem Hinsehen auch bei meinen Kollegen bemerkte.

Die Zugnächte hatten sich in ihre Gesichter gegraben, ihre Stirnen waren zerfurcht, ihre Augen blickten unstet, von den Nasenflügeln zogen sich tiefe Falten zu den Mundwinkeln. Wenn sie den Zug verließen, wankten sie wie Seeleute, die sich erst wieder daran gewöhnen mussten, festen Boden unter den Füßen zu haben. Der Inhalt ihres Koffers (man merkte es daran, wie sie ihn trugen) schien von Reise zu Reise zu schrumpfen, bis ich mir vorstellen konnte, dass nur noch die Dienstkluft und die Zahnbürste darin lagen, alles andere war in alle Winde zerstoben. Ihr persönlicher Besitz, auch Briefe, Fotos, Erinnerungsstücke, war längst irgendwo liegen geblieben oder gestohlen worden, und lauschte man ihnen, schien es, als hätten sie damit auch die Erinnerungsfähigkeit oder den Erinnerungswillen verloren.

Wenn sie erzählten, dann von weit zurückliegenden oder erst kürzlich geschehenen Dingen, Kneipen- und Weibergeschichten, nie aber von dem Lebensabschnitt, der vor ihrer Schlafwagenzeit gelegen hatte. Diese Zeit blendeten sie aus oder brachen mitten im Satz ab, sobald sie merkten, dass sie sich doch einmal unverhofft dahin verirrten. Ich lauschte ihren immer zu lauten Stimmen, die klangen, als müssten sie noch im Hotelzimmer den Zuglärm überschreien, und plötzlich begann ich zu ahnen, dass nicht nur ihr Gleichgewichtssinn aus dem Lot geraten war, sondern noch etwas anderes, und dieses andere war es, das sie in sich verbargen. Sie hoben zu reden an, verstummten, drehten sich zur Wand und zogen die Decke über die Ohren.

Rom, Via Principe Amadeo, keine zweihundert Meter vom Bahnhof entfernt, Anfang Juni, stickig warm. Ich hatte die Tür zum Flur geöffnet, um Durchzug zu schaffen, umsonst, die Luft stand wie ein mit Hitze aufgeladener Felsblock im Zimmer. Durch die Wand hörte ich die Hände der Kartenspieler auf den Tisch krachen, und mit jedem Krachen schien der Felsblock zu wachsen und ein paar Hitzegrade mehr abzustrahlen. Nach einer Weile stand ich auf und ging in den Duschraum am Ende des Flurs, um das Hemd zu holen, das ich gewaschen und auf einem Drahtbügel an den Metallrahmen der Duschkabine gehängt hatte, aber es hing nicht mehr da, es war weg, nein, nicht gestohlen, jemand (einer der Kartenspieler, deren Hände ich noch immer auf den Tisch krachen und die Wärme vermehren hörte?) hatte es (um Platz für seine Hemden zu schaffen?) aus dem Fenster gehalten und losgelassen. Ich sah es auf einem Mauervorsprung des Nachbarhauses liegen, worauf ich die zwei Hemden, die statt meinem da hingen, packte, runterriss und sie hinter meinem her expedierte; sie waren noch feucht und fielen, die Hauswand streifend, dann sich von ihr lösend, auf die Straße, wo sie von einem Auto erfasst und mitgeschleift wurden.

»Das war nicht fair«, sagte der Kollege (ja, es war einer der Kartenspieler, die auf einer anderen Strecke fuhren), als wir – sie, ich und Wilhelm, mein Liegewagenkollege – durch die beinahe noch schlimmere Abendhitze zum

Bahnhof gingen, *zwei gegen eins*, wodurch er sein prinzipielles Einverständnis mit meiner Handlungsweise erklärte, während Wilhelm, wie es seine Art war, den Unterkiefer ruckend hin und her bewegte, so dass man ein leises Knacken hörte. Er war der Älteste von uns. Ursprünglich blond, waren seine Haare jetzt dünne graue Fäden, die er mit Wasser oder Brillantine auf den ins Olivgrüne schimmernden Schädel klebte. Er trug schon das weiße Hemd und die rote Weste, wohingegen wir anderen noch Straßenkleidung anhatten, die leichten, in der Hitze noch immer zu schweren Sommerhosen und Kurzarmhemden. Der Koffer schlenkerte in seiner Hand, und plötzlich wusste ich, dass es nur noch der Schlips war, den er darin aufbewahrte, der graue Stoffstreifen, den man, laut Anweisung, so zu binden hatte, dass er das Emblem mit den drei Buchstaben der Schlafwagengesellschaft eine Handbreit unter dem Knoten zeigte.

War es diese Nacht, in der er aus seinem Wagen kam und sich zu mir ans Fenster stellte? Die Lichterhaufen kleiner Orte flogen vorbei, über den Bergen zuckte ein Wetterleuchten; kurz war die Windung eines Flusses (der Ticino?) zu sehen gewesen. Er rauchte; wenn er an der Zigarette zog, ließ die Glut sein Gesicht im Fenster leuchten. Er hatte, erzählte er, Schmerzen in den Handgelenken, in den Beinen, im Rücken. Und plötzlich sagte er so beiläufig, als sei er des Klagens überdrüssig geworden und wolle sich einem neuen Thema zuwenden, er hätte den 2. Weltkrieg, den Mord an den Juden, Teheran, Jalta, das Potsdamer Abkommen, den Bau der Atombombe, die Teilung Europas, die Berliner Mauer, vielleicht auch den Vietnamkrieg und eine Anzahl kleinerer Kriege (an deren Anlass, Verlauf und Ausgang er sich nicht mehr erinnere) verhindern können.

»So?«

»Ja.«

Er nickte. Es war in Dresden, Ende der dreißiger Jahre, als er, junger Hotelpage damals, den Auftrag erhalten hatte, den Frühstückswagen in ein bestimmtes Zimmer zu schieben, das beste im Hotel, nicht eigentlich ein Zimmer, sondern eine Suite, nein, eine ganze Etage, die von den anderen Etagen abgeschirmt wurde. Er war dafür unter den Hotelpagen (zwölf insgesamt, die sonst Türen aufhielten und schlossen, Aufzugknöpfe drückten oder mit einer Verbeugung Billets überreichten) ausgewählt worden. Vor, neben ihm und hinter ihm gingen die Direktoren, einer von ihnen klopfte, jemand öffnete, er schob den Wagen mit dem Pilzomelette, dem getoasteten Brot, der Obstschüssel, der Teekanne auf dem brennenden Stövchen, den Tellern und Tassen und Bestecken ins Zimmer, und als er aufblickte, sah er Hitler in Morgenmantel und Pantoffeln auf der Bettkante sitzen.

»Ich hätte bloß eins der Messer vom Wagen zu nehmen und ihm in den Hals zu rammen brauchen.«

Wieder glühte seine Zigarette auf, die dritte, und ließ

sein Gesicht dunkel im Fenster leuchten. »Ja«, sagte ich, »eine gute Geschichte.« Um gleich danach die Frage zu stellen, die sich anschließen musste: »Und hättest du?« »Was?« »Zugestochen.« Worauf er, anstatt zu antworten, den Arm hob und über die Scheibe wischte, sich umdrehte und mit knackenden Kieferscharnieren zum Liegewagen schlurfte. Es war gegen zwei Uhr morgens, noch immer sehr warm, aber, natürlich, kein Vergleich zu der Hitze am Nachmittag im Hotel in der Via Principe Amadeo, aus dem er ein paar Tage danach abgeholt wurde. Er war Lipski, einem der Kartenspieler, als der von einer Besorgung zurückkehrte, auf der Treppe entgegengekommen: Wilhelm zwischen zwei Männern, an deren Aussehen sich Lipski, als ich ihn später um eine Beschreibung bat, nicht erinnern konnte.

Lipski war ein kleiner, spillriger Mann mit tiefliegenden, immer ein wenig verschatteten Augen, dessen sonst noch erstaunlich helle Haut sich wie Pergament über den Gesichtsknochen spannte. Nach der gleißenden Mittagshelle auf der Principe Amadeo war er ins Dunkel des Treppenhauses getreten und einen Moment lang fast blind gewesen, so dass er mit einem der beiden, die auch noch dunkel gekleidet waren, um ein Haar zusammengestoßen wäre, hätte er nicht plötzlich ein Zischen vernommen, ein Zischen oder Zischeln, vor dem er sich, da die drei keine Anstalten zum Ausweichen machten, mit dem Rücken an die Wand gedrückt hatte.

Wilhelm hatte ihn nicht beachtet, sondern starr geradeaus gesehen und lediglich seinen Unterkiefer hin und her geschoben.

Am Abend gingen wir wieder zum Bahnhof. Lipski neben seinem Kollegen, während Wilhelm, der sonst an meiner Seite war, fehlte. Lipski meinte, er würde vielleicht schon am Bahnsteig warten, aber er irrte sich, so dass ich, unterstützt vom Zugführer, seinen Wagen mit übernommen habe.

Der Zugführer empfing die Gäste an der Tür, brachte sie zu ihren Abteilen, danach ließ er sich ihre Fahrscheine und Pässe geben und legte sie in eine Mappe, die er an mich weiterreichte, damit ich an der Grenze die Formalitäten erledigen konnte, ohne dass man die Schlafenden zu wecken brauchte. Gegen zwei, ich wollte gerade meinen Rundgang machen, hielt der Zug auf freier Strecke, ich schaute raus und erschrak, denn es kam mir vor, als sähe ich Wilhelm über den Bahndamm laufen und zwischen den Büschen in die Dunkelheit eintauchen. Der Zugführer ging vor zur Lok, um sich nach dem Grund für den Halt zu erkundigen, und als er zurückkam, berichtete er, die Maschine habe ohne (erkennbaren) Grund gestoppt, nein, die Notbremse sei nicht gezogen worden, das wusste man, weil die Instrumente dies sonst angezeigt hätten. Er war ungefähr in meinem Alter, aber größer und dicker, so dass er den Gang beinahe in seiner ganzen Höhe und Breite ausfüllte. Als der Zug wieder anruckte, schaute er auf die Uhr, zog ein Heft aus der Tasche und notierte die Zeit, 2 Uhr 23, um danach unter *Besondere Vorkommnisse* »Halt von – bis –« in sein Fahrtenbuch einzutragen, was insofern wichtig war, als man unsere Stoppzeit später mit der anderer Züge vergleichen konnte. Es war nämlich so, dass in dieser Nacht alle Züge, die nördlich von Rom unterwegs waren, wie auf Verabredung (oder einen geheimen Befehl hin) hielten: Um 2 Uhr 03 stoppten die Maschinen, die Räder blockierten, die Züge kamen zum Stehen und ließen sich, trotz aller Bemühungen der Lokführer, erst wieder um 2 Uhr 23 anfahren. Während dieser zwanzig Minuten kam der gesamte Schienenverkehr nördlich Roms zum Erliegen, während aus den südlichen Regionen lediglich Meldungen über kleinere Störungen eingingen.

Wieder ein paar Tage danach, an einem ebenso hellen und heißen Mittag wie dem, an dem Lipski Wilhelm zwischen den dunkel Gekleideten auf der Treppe gesehen hatte, hörte ich es an meiner Tür in der Principe Amadeo klopfen. Ich rief herein. Ein traten zwei Männer, die sich als Beamte der Kriminalpolizei auswiesen und mich baten, ihnen zum Gerichtsmedizinischen Institut an der Porta Pia zu folgen, um einer unangenehmen Pflicht nachzukommen: der Identifizierung eines Mannes, bei dem es sich um meinen vermissten Kollegen handeln könne. Also hatte die Schlafwagengesellschaft meine Anzeige, die auf Lipskis Beobachtung beruhte, an die Polizei weitergegeben. Einer der beiden sprach Deutsch. Auf meine Frage hin sagte er, der Unbekannte habe, als er von einer Putzkolonne entdeckt wurde, an der Endhaltestelle Ostia Lido, wie schlafend, am Fenster der Metro gesessen. Der Fahrschein, der in seiner Tasche steckte, war um 16 Uhr an der Station Piramide abgestempelt worden; da sein Tod gegen 17 Uhr eingetreten sei, sähe es aus, als sei er bis Dienstschluss (0 Uhr 17) zwischen Rom und Ostia hin- und hergependelt.

Sie schoben mich in ein Auto, doch es sprang nicht an, und so stiegen wir wieder aus und gingen, da sie sich nicht auf Bus oder Taxi verständigen konnten, zu Fuß, zuerst durch die Via Cavour, dann, nachdem wir am Bahnhof vorbei waren, durch verschiedene kleinere Straßen, von denen die letzte nicht auf die Porta Pia, sondern die Viale del Policlinico führte. Die Sonne stand senkrecht am Himmel, die Straßen waren wie ausgestorben, an den Häusern waren die Jalousien runtergelassen, eine Katze lag zusammengerollt in einem Autoreifen, und plötzlich dachte ich, dass sie, im Fall *meines* Verschwindens, die einzige wäre, die mich in Begleitung der beiden gesehen hatte. Eine Katze, die müde den Kopf hob. Und auf einmal fiel mir eine Unterscheidung meines Großvaters ein, der zufolge man im Süden – wegen der in der Mittagshitze verwaisten Straßen und Plätze – Entführungen und Morde am liebsten in der Mittagsstunde beginge, während man dasselbe bei uns im Norden eher nachts besorge.

Seit ihrem Streit – Taxi oder Bus – schwiegen die beiden. Der Jüngere, der links von mir ging, trug braune Sandalen, in denen die Zehen ein wenig über das Fußbett ragten, es sah aus, als berührten sie bei jedem Fußabrollen das Pflaster; der andere feste schwarze Schuhe mit offenbar genagelten Sohlen, von deren Klacken die Straße widerhallte. Aber keiner von beiden war dunkel gekleidet. Der Jüngere trug eine helle Hose, darüber ein grünrotblaues Buschhemd mit offenem Kragen; der andere war ganz in Beige oder Khaki, auch sein Hemd stand offen, um den Hals hing ein silbernes Kettchen, das von seiner grauen Brustwolle bei jedem Schritt wie von einem Trampolin weghüpfte, und der war es, der im Klinikkeller gegen die Eisentür klopfte und auf das *Si, avanti* hin die Klinke niederdrückte. Wir traten in einen großen, bis unter die Decke lindgrün gekachelten Raum, in dem nach der Hitze draußen eisige Kälte herrschte. Ich war auf eine dieser von Filmen her bekannten Edelstahlkühlschrankwände gefasst gewesen, aus denen die körperlangen Schubladen vorgerollt wurden, stattdessen standen in der Mitte mehrere Tische, bedeckt mit Laken, unter denen sich die Umrisse von Körpern abzeichneten. Von der Decke hingen kreisrunde Neonröhren, die eine Art Nebel- oder Gazelicht gaben, so stofflich, dass man meinte, es mit einem Messer zerschneiden zu können. Ein Mann erhob sich von seinem Drehstuhl und kam herüber, er trug einen grauen Kittel und stellte sich an den Tisch in der Mitte, dann schlug er das Laken zurück, damit ich einen Blick auf das Gesicht werfen konnte. Die Augen des Toten waren geschlossen, die Nase spitz, der Mund ein Strich, alles im Nebel- oder Gazelicht abweisend, wächsern; der Unterkiefer aber wurde von einem um den Kopf laufenden Band, das oben verknotet war, festgehalten. Und das war es, was mich so verwirrte, dass ich für einen Moment Wilhelm sah, ich sah seinen hin und her ruckenden Unterkiefer und hörte das Knacken, so dass ich mich noch, als ich wieder auf der Straße stand, fragte, ob er es nicht doch gewesen sein könnte. Aber er war es nicht, da bin ich ganz sicher.

Das sagte ich auch zu Lipski. Als ich in sein Zimmer kam, saß er am Tisch und starrte auf die Karten, die in vier Stapeln vor ihm aufgehäuft waren; sie waren kleiner als gewöhnliche Karten, und es waren mehr, als gemeinhin zum Spielen benötigt wurden, sie bildeten eine Reihe von vier kleinen Türmen, doch als ich herantrat, stieß er dagegen, sie fielen in sich zusammen, er begann sie mit kreisenden Händen hin und her zu schieben. Er war völlig nackt, ich sah, dass ihm jegliche Körperbehaarung fehlte, nirgends war auch nur einziges Härchen an ihm zu finden. Seine Pergamenthaut, die ich als relativ hell in Erinnerung hatte, war nachgedunkelt, sie spannte sich über den Schultern und Rippen, sein Geschlecht lag wie das eines kleinen Kindes zwischen den Beinen. Als er meinen Blick bemerkte, langte er nach einem Handtuch und legte es darüber.

»Lipski«, sagte ich. »Ich komme aus dem Totenkeller.« Aber er schien gar nicht zuzuhören, sondern blickte zum Fenster. Die Jalousie war zur Hälfte heruntergelassen, und das hereinfallende Licht zeichnete weiße Streifen auf sein Gesicht. Er saß völlig bewegungslos da, sein Kinn war vorgereckt, seine Arme hingen herab. Erst als ich ging, hob er die Hände und begann, wieder in den Karten zu wühlen. Aber er hatte mich durchaus verstanden, denn als wir am Abend zum Bahnhof gingen, machte er eine Bemerkung: »Das hätte ich dir auch gleich sagen können.« »Was?« »Dass er nicht da ist, wo sie dich hingeführt haben.« »Und woher hast du das gewusst?« Er wiegte den Kopf, genauso, wie es Wilhelm getan hatte, um im selben Moment, in dem er es merkte, stehen zu bleiben; er erstarrte, seine Augen, die tiefliegenden, schienen vorzutreten. Es war mitten auf der Via Carlo Cattaneo, die wir eben überquerten, um dann in die sich an der Bahnhofsüdseite entlangziehende Giovanni Giolitti einzubiegen; um uns brauste der Abendverkehr, die Autos, das Autohupen und Lichthupengeflacker. »Lipski, was ist?« Seine Kinnlade zitterte. Aber er schüttelte bloß den Kopf und sagte kein Wort mehr.

Tatsache ist: Wilhelm wurde mittags von zwei dunkel

Gekleideten aus dem Hotel in der Principe Amadeo abgeholt und ist seitdem verschwunden.

Mein Großvater, dem ich die Sache schilderte, schrieb zurück, er glaube, dass die Verschwundenen nicht wirklich verschwunden wären, sondern sich an bestimmten Orten sammeln. Wenn ich ihn richtig verstanden habe, ging er davon aus, dass sie sich in einer besonderen Sorte von Zügen befinden, in denen sie unaufhörlich, also ohne jemals auszusteigen, quer durch Europa reisen. Jeder, meinte er, hätte ein eigenes Abteil, in dem er säße und läse oder bloß zum Fenster rausschaue. Da diese Züge in keinem Fahrplan verzeichnet seien und niemals – oder nur an sehr verborgenen Orten – hielten, sei es schwierig, sie auszumachen. Später erweiterte er seine Theorie. Gut möglich, schrieb er in einem anderen Brief, dass sich die Verschwundenen auch in den heruntergekommenen Wohnblocks an den Rändern der großen Städte aufhalten, wo sie eigene, von der restlichen Welt abgeschiedene Kolonien bilden.

Als ich am nächsten Abend, dem Abend des Tages nach meinem Besuch im Totenkeller und nach ereignisloser Fahrt, während der Lipski schweigend in meinem Abteil gesessen hatte, so als fürchtete er sich, allein zu sein – »Lipski«, hatte ich gesagt, »was ist? Gibt es etwas, das dich bedrückt?«, aber er hatte geschwiegen und nur das Rascheln der von der einen Hand in die andere gleitenden Karten hören lassen –, als ich an diesem Abend nach Berlin zurückkam, warf ich die Münzen in das Glas neben der Tür, und als ich ans Fenster trat, sah ich zwischen den Häusern hindurch die Havel rückwärts fließen, ein Eindruck, der zweifellos daher rührte, dass der Wind gegen die Fließrichtung wehte.

4
DER GARTEN

Kein Wind mehr, der Wind hat sich gelegt, stattdessen Nebel, Stille und der mit dem Nebel häufig einhergehende Geruch von Feuer, ein Brandgeruch, die Ahnung von kokelnden Bäumen und in Kniehöhe über den Boden kriechendem Rauch wie in dem Garten in der Nähe des Städtchens, zu dem ich in der Nacht vor dreizehn Jahren, im Wendejahr zwei, mit dem Auto gefahren wurde. Es ging über die frisch asphaltierten, keinen Achsenbruch mehr befürchten lassenden Straßen mit den leuchtend weißen, in dieser Nacht aber im Nebel versunkenen Mittelstreifen, die Alleebäume bogen sich nach links und rechts weg, die Bäume sah man noch deutlich im Lichtkegel, aber dahinter begann schon das Ungenaue, Verwischte, wie von einer Reihe wehender Laken. Die Frau neben mir beugte sich vor, ihre Hände umfassten das Steuer, so angestrengt, dass die Knöchel vortraten, eine Strähne hatte sich aus ihrem nach hinten gekämmten, im Nacken von einer Spange gehaltenen Haar gelöst und hing an der Seite herunter. Obwohl ihr der Weg seit Jahren vertraut war, drehte sie den Kopf hin und her, um sich zu orientieren; ihr Gesicht, das sonst sanfte, schläfrige, hatte eine ungewohnte Wachheit und Härte, unwillkürlich fragte ich mich, ob sie wirklich die war, die ich kannte, oder ob die, die ich kannte, die Sanftheit und Schläfrigkeit nicht bloß vorgetäuscht hatte. Aber dann dachte ich, es müsse am Licht liegen, diesem Halblicht, in dem ihre sonst kaum sichtbaren Falten wie eingemeißelt aussahen und jede Unebenheit als Schatten hervortrat. Oder ich sei von dem Verdrucksten, Halbausgesprochenen, Halbverschwiegenen, nie das Gesagte auch Meinenden der Stadt so angesteckt, dass ich keinem mehr traute.

Endlich fand sie die Abzweigung, sie bog von der Straße ab, in einen mit Betonplatten befestigten Waldweg, es ging jetzt bergab, sofern man in dieser Gegend (in der jede Erhebung als Höhe bezeichnet wird) von bergab reden konnte, und ich wusste, dass wir auf die Spree zuhielten, mittlerweile hatten wir den Wald hinter uns gelassen. Die Frau ließ ein leises Summen hören und schlug mit der Hand aufs Steuer, und da merkte ich, dass es kein Summen war, sondern ein Stöhnen. Sie stöhnte, aber so, dass man es für ein Summen halten sollte. Ich kurbelte die Scheibe runter, und im selben Moment war der Brandgeruch da, nicht unangenehm, sondern wie von einem Kartoffelfeuer, noch immer war nichts zu sehen, nur der Nebel, und im Nebel einzelne Weiden, die die Wassernähe anzeigten, der Nebel reichte bis zu den unteren Zweigen, so dass man sie für breite, ausladende, auf einem Hügel stehende Büsche halten konnte. An dieser Stelle erreichte die Spree beinahe Seebreite, zur rechten Seite hin buchtete sie sich aus, und diese Ausbuchtung war so dicht mit Schilf bewachsen, dass man Flussende-Landanfang nicht mehr bestimmen konnte. Die Wiesen, dann das Schilf, aus dem beim Herangehen Vögel aufstiegen; man hatte noch festen Grund unter den Füßen, und einen Schritt weiter stand man bis zu den Knien im Wasser, während einem das Schilf, über das man eben noch hinwegblicken konnte, die Sicht versperrte. Es war, wie ich von meinem Großvater wusste, das Revier der Hechte, die im Schilfwasser stehen und auf Beute warten.

Der Weg machte eine Biegung nach links, es war nun ein einfacher Sandweg, der wieder am Wald lang führte, die Betonplatten waren zurückgeblieben, links der Wald, rechts die Flusswiese mit dem Schilfsaum, das Auto schaukelte über Bodenwellen und sich unter der Erde verzweigende Wurzelstränge; und als ich mich aus dem Fenster beugte, der scharfe Geruch von schwelendem Gummi; nun mischten sich in den Nebel Rauchschwaden, die über den Boden krochen. Dann eine hohe Pappelreihe, ein Zaun, und durch die Pappeln hindurch mehrere niedrige Feuer, wie hinter einer Milchglasscheibe. Wieder war das Summen oder Stöhnen zu hören. Die Frau hatte gehalten, den Motor aber laufen gelassen, kippte nach vorn und schlug mit der Stirn aufs Steuer. »Na, komm!« Doch sie blieb sitzen, ohne sich zu rühren, das Gesicht nach unten, die Augen geschlossen, als weigere sie sich, auszusteigen oder auch nur hinzusehen. Ihre Arme hingen herab, ihr Kopf lag auf dem Steuer, ich beugte mich vor und sah ihre Augäpfel unter den Lidern nach oben rollen.

Die Uhr auf dem Armaturenbrett zeigte halb zwölf, seit es an der Tür gepocht hatte, waren achtzehn Minuten vergangen, ich hatte auf die Uhr geblickt. Wer kommt so spät? Und als ich öffnete, hatte die Frau im Treppenhaus gestanden, allein, ohne ihren Mann, das war mir, da man den einen nie ohne den anderen sah, gleich aufgefallen. Sie hatte den Lichtschalter nicht gefunden, sich im Dunkeln die Treppe hochgetastet und mich sofort bestürmt, dass ich mitkommen solle, sofort, aber ich war im Bademantel, ich saß noch an meinem Abschlussbericht, hatte mich aber schon ausgekleidet, so dass sie einen Moment warten musste. »Was ist los?« Sie folgte mir durch den Flur in den Bilderraum mit dem Schreibtisch, auf dem die Karten und Tabellen ausgebreitet waren. »Was ist?« fragte ich wieder, worauf sie mich ruhig (seltsam nach dem Sturm an der Tür) angesehen und »Konrad« gesagt hatte. »Was ist mit ihm?« Aber da hatte sie sich schon abgewandt und mit dem Herumrennen angefangen. Ich löschte die Schreibtischlampe und ging in den anderen Raum. Während ich mich anzog, stand die Tür einen Spalt offen, so dass ich sah, wie sie zwischen den an der Wand lehnenden Bildern hin und her rannte. Gewöhnlich trug sie helle cremefarbene Kleider, die locker an ihr herabfielen, an diesem Abend aber hatte sie eine dunkle Hose an, eine grüne Windjacke und Joggingschuhe, die bei jedem Schritt ein knarrendes Geräusch von sich gaben, und in dieses Knarren hinein leierte sie die Worte Nervenzusammenbruch, Wutanfall, Konrad, und schlug mit einer weit ausholenden Bewegung der Arme die Handballen zusammen, während ich den Parka – ich hatte ja schon gepackt – vom Koffer nahm, auf dem er über den zusammengefalteten Hosen, Hemden, Pullovern gelegen hatte.

Was war ich damals? Beobachter der Wasserstände? Agent einer Schifffahrtsgesellschaft, die in diesen Tagen (in denen alles gleichsam im Fluss war) die obere Spree für ihre Geschäfte erschließen wollte? Lohnt es sich, Käpt'n, in eine besondere Sorte von flachgehenden Booten, die aus Rentabilitätsgründen nicht unter hundert Passagiere befördern dürfen, sowie in eine Reihe von Schiffsanlegern entlang der Strecke nach Berlin zu investieren? Ja, das war ich damals. Als Wohnung waren mir zwei Räume in einem als Museum genutzten Schloss zugewiesen worden, von denen ich den größeren mit einer Anzahl von Bildern teilte, die früher in den Amtsstuben, Fabriken, Schulen und Kulturhäusern des untergegangenen Staates gehangen hatten und nun, um sie vor der Zerstreuung oder Zerstörung zu bewahren, vom Museumsdirektor eingesammelt und aufs Schloss gebracht wurden.

Jede Woche kam eine neue Wagenladung Bilder, die vom Hausmeister die Treppe hochgetragen und ringsum an die Wände gelehnt wurden. Eines, das *Die Kahnfahrt* hieß, zeigte einen umgebauten Leichter; die Ladeluke war abgedeckt, auf die Abdeckung waren Bänke gestellt worden, und auf den Bänken saßen schwarzgekleidete Männer und Frauen, die geradeaus, in Fahrtrichtung, schauten; der Kahn von der Seite, die Passagiere so ordentlich in der Reihe, als hätten sie ihre Haltung an einer unsichtbaren Schnur ausgerichtet. Den Namen des Malers habe ich vergessen, doch erinnere ich mich, dass der Direktor, ein großer, hagerer Mann mit zerfurchter Stirn und wild vom Kopf abstehenden Haaren, erzählte, der Maler sei nach Ablieferung des Bildes in Ungnade gefallen, Ausstellungsverbot, keine Aufträge mehr, zumal diese Leute nun auf all seinen Bildern auftauchten. In den sechziger Jahren sei er für seine heiteren Szenen bekannt gewesen – *Erster Schultag, Das Ferienlager* –, dann aber, in den frühen Siebzigern, seien die Schwarzgekleideten sein Thema geworden, oder besser: Er habe noch immer helle, heitere Szenen gemalt, doch seien sie jetzt, wie gegen seinen Willen, von den Schwarzen im Hintergrund oder am Bildrand überschattet worden, so dass sich die heitere Absicht ins Gegenteil verkehrte.

Und vor diesem Bild, *Die Kahnfahrt,* war sie, als ich zurückkam, stehen geblieben. Sie beugte sich vor und kniff die Augen zusammen, um sich, als sie mich hörte, rasch aufzurichten und mir ihr Gesicht zuzuwenden, in dem etwas Gehetztes das Schläfrige, Weiche überdeckte. »Wohin?« Worauf sie mich anstelle einer Antwort, nach einem letzten Blick auf das Bild, zur Tür rausdrängte, um erst im Auto zu sagen, dass er sich in der Laube (oder sagte sie: Datsche?) aufhielte.

Also zum Garten, zu dem mich die beiden seit meiner Ankunft mitnehmen wollten. Seit meiner Ankunft? Nein, seit wir zusammen liefen. Sie liefen seit Jahren, sie waren Lehrer, Konrad außerdem Sportler, Leichtathlet, Läufer, ich hatte aus Langeweile erst hier, in dieser Stadt, damit angefangen. »Tommi, der Garten wird dir gefallen.« Das mochte sein, dennoch hatte ich jedes Mal eine Ausrede vorgeschoben: eine bereits getroffene Verabredung, meine Arbeit, die Erkundungsfahrten, die schwierigen Berechnungen, Wassertiefe und Strömungsverhältnisse betreffend. Aber das war es nicht. Der Garten lag vor der Stadt, er war nur mit dem Auto zu erreichen, und ich hatte kein Auto. Es ging mir wie meinem Großvater, der sich nur zu Orten mitnehmen ließ, die er aus eigener Kraft wieder verlassen konnte, und wenn das nicht möglich war, hatte er das Gefühl, er sei in eine Falle geraten. Oder war es doch wegen Konrad, der mich im Gespräch mit seinen schwarzen, nach Gerechtigkeit dürstenden Augen anblickte, als erwartete er von mir das erlösende Wort, das ihm den Gang der Geschichte erklärte, während ich doch bestenfalls mit meinem Wissen über Schiffe, Fließgeschwindigkeit und Nutzlasten zur Welterklärung beitragen konnte?

Die Brücke war frei, aber über dem Fluss hing Nebel; auf beiden Seiten der Brücke, genau in der Mitte, brannten Laternen, das heißt, die eine war vor Tagen zertrümmert worden, unter dieser standen zwei Männer mit dem Rücken zum Geländer, und als wir vorbeifuhren, beugten sie sich vor, um einen Blick ins Auto zu werfen, und als ich mich umdrehte, gingen sie weiter. Gleich danach beschrieb die Straße eine Kurve, ein Schild zeigte *Eisenhüttenstadt 25 km*, nun waren wir aus der Stadt heraus und fuhren, nur durch Wiesen getrennt, am Fluss entlang, um dann in den Kiefernwald einzutauchen. Sie schaute nach vorn, ihre Hände krallten sich um den Lenker, und als ich nach dem Grund für Konrads Nervenzusammenbruch oder Wutanfall fragte, schüttelte sie den Kopf oder gab so schmallippig Antwort, dass ich das Fragen ließ und auf den kriechenden, wehenden Nebel auf der Straße und zwischen den Bäumen starrte. Sie strich die Strähne zurück, die gleich wieder vorfiel, und jetzt bekam das Gehetzte über dem Schläfrigen, Sanften jenes ungewohnt Wache und Harte, und ich überlegte, warum sie sich mit der Bitte, sie zu begleiten, an mich gewandt hatte, den, wenn es man richtig sah, nur flüchtig Bekannten, doch da hatte sie die Abzweigung gefunden und war von der Chaussee in den Betonweg eingebogen.

Jetzt drang mit dem Nebel- und Brandgeruch auch

der von Benzin herüber, ich stieß die Tür auf, und im selben Moment schoss eine Flamme hoch, ein ohrenbetäubender Knall, auf den noch mehrere kleinere folgten, etwas fegte über mich hinweg, darauf völlige Stille, als sei ich mit dem Kopf jäh unter Wasser geraten. Die Frau war ausgestiegen und lief hinter mir her. Der Schein einer Taschenlampe, der durch die Rauch- und Nebelluft tanzte, im nächsten Moment sah ich die Lampe fallen und die Gräser anstrahlen. Die Frau war gestürzt, kam wieder hoch (während die Lampe liegen blieb), um, kaum dass sie stand, erneut umzusinken. Sie stöhnte: »Mein Knöchel!« Und nun war auch das Prasseln des Holzes zu hören, gleichzeitig begann die Luft vor Funken zu sprühen. Ein Prasseln und Funkenstieben, und auf einmal die Vorstellung, dass er da mittendrin liegen könne, der hagere Mann mit dem Raubvogelgesicht und dem von unzähligen Läufen ausgemergelten Körper, der einen so schnellen Antritt hatte, dass er mich, wenn er wollte, wie einen Alleebaum stehen lassen konnte. In den siebziger Jahren hatte er die Studentenmeisterschaft seines Landes über 800 Meter gewonnen, mit einer Zeit, die ihn zur Teilnahme an den nationalen Meisterschaften berechtigt hätte, aber die Einladung war nicht gekommen, er hatte die Meisterschaften am Fernseher verfolgt und gesehen, dass die Siegeszeit über seiner eigenen Bestzeit lag; wäre er zur Meisterschaft zugelassen worden, hätte er gewonnen oder einen der vorderen Plätze belegt, was wiederum die Qualifikation für die im selben Jahr stattfindende Olympiade bedeutet hätte, Ausland, Reisen, internationaler Ruhm, wenn – ja, wenn ihm das nicht aus Gründen, über die er mit der Hartnäckigkeit der um ihr Lebensziel Betrogenen noch immer Vermutungen anstellte (große Klappe, zersetzende Reden), verwehrt worden wäre.

»Tommi!« Die Frau war herangehumpelt und hatte sich an meinem Arm festgehalten, auf ihrem Gesicht der Widerschein des Feuers, das in einer Entfernung von vielleicht fünfzehn Metern hochschlug und eine unerträgliche Hitze ausstrahlte, um dann, nach Einsturz der Laube oder Datsche, in sich zusammenzusinken, während die kleineren Feuer, die wir vom Auto aus gesehen hatten, nur noch glimmende, über den ganzen Garten verteilte, sich in der Tiefe des Gartens verlierende Lichtpunkte waren, die aus sorgfältig vorbereiteten, nun aber niedergebrannten Scheiterhaufen bestanden; er hatte die Sträucher abgehackt, mit Benzin übergossen und in die Zweige die Lauben- oder Datscheneinrichtung geworfen, die Stühle, den Tisch, die Federbetten, den Inhalt der Schränke. Ich ging daran vorbei und stocherte vorsichtig mit dem Fuß in den verbrannten, angesengten, verkohlten Resten, während die Frau, die stehen geblieben war, in die Dunkelheit starrte. Sie schaute zum Wald hinüber, als erwartete sie ihn jeden Moment zwischen den Bäumen hervortreten zu sehen. Wahrscheinlich hatte sie recht, denke ich heute, denn obwohl ich das Grundstück mehrere Male abgesucht habe, konnte ich ihn nirgends finden. Entweder war er zur Straße gelaufen, oder er stand noch irgendwo da, am Rand der Dunkelheit, und beobachtete, wie wir durch den Garten irrten. Mit einer Harke, die herumlag, riss ich die kokelnden Hölzer auseinander, ging dann hinunter zum Fluss und wusch mir den Ruß von den Händen; die Hände, die Arme waren bis zu den Ellbogen hinauf schwarz, und einer der Parkaärmel, die ich hochgeschoben hatte, war eingerissen. Der Nebel hing über dem Wasser, weiter draußen war ein Glucksen zu hören, wie von einem Fisch, der aus dem Wasser schnellte und wieder ins Wasser tauchte.

Ein paar Tage zuvor hatte ich auf der anderen Flussseite eine Stelle gefunden, die genau zu den Plänen der Schifffahrtsgesellschaft passte, nicht bei meinen Erkundungsfahrten auf der Spree, sondern bei einem meiner abendlichen Läufe. Konrad war wegen eines Behördenbesuchs nach Berlin gefahren, Normannenstraße, und da seine Frau nicht ohne ihn lief, war ich nicht wie sonst durch den Wald getrabt, sondern am Ufer entlang, und so zu einer Stelle gekommen, an der das Land ein Stück ins Wasser ragte, kein Sumpf- oder Schilfland, das erst trockengelegt werden musste, sondern fester Boden, den man nur zu planieren und zu befestigen brauchte. Unmittelbar nach Landabbruch betrug die Wassertiefe zweieinhalb Meter, so dass man auf Baggerarbeiten möglicherweise verzichten konnte, ein Vorteil, auf den ich in meinem an diesem Abend fertiggestellten Abschlussbericht hingewiesen habe.

Die Frau habe ich, nachdem sie mich am Schloss abgesetzt hatte, nicht wiedergesehen. Von dem Museumsdirektor, den ich wegen des Bildes anrief – ich wollte es kaufen, ein Wunsch, den er mit der Begründung abschlug, dass man die Sammlung nicht auseinander reißen könne –, hörte ich, sie habe den Schuldienst quittiert, die Wohnung aufgelöst und sei ins Haus ihrer Mutter im Thüringischen gezogen, wobei ich in seinem Ton etwas wie Befriedigung oder Hohn zu spüren meinte.

Wochen danach, zurück in Berlin, ging ich abends über die Jannowitzbrücke, wo ich einen Mann in einer schwarzen Lederjacke bemerkte, der sich über das Geländer beugte. Er hatte die Arme aufgestützt und blickte aufs Wasser, und als ich seinem Blick folgte, sah ich einen ausrangierten Kahn, der, möglicherweise unterwegs zum Abwracken, an der Mauer festgemacht hatte. Die Deckbestuhlung war rausgerissen, und eine der Brückentüren, die locker in den Angeln hing, war mit einer durch den Türbügel geführten Kette verschlossen worden. Und auf einmal merkte ich, dass ich angeschaut wurde, der Mann in der Lederjacke schaute mich an, er hatte mir das Gesicht zugewandt. Es war Konrad. Er hob die Hand, die Handfläche nach außen, wie um mir zu bedeuten, dass er mir jedes Wort, das ich sagen könnte, in den Mund zurückstopfen würde, dann schlug er mit der Hand aufs Brückengeländer, drehte sich um und ging zur S-Bahn hinüber.

Und auf einmal fiel mir ihr erster Besuch im Schloss ein. Wir saßen im Bilderraum, das Fenster vorm Schreibtisch stand offen, davor sah man den Regen fallen. Konrad sagte: »Wir haben dir etwas mitgebracht«, worauf sie in ihren Weidenkorb langte, ein Glas Honig herauszog und auf den Tisch zwischen die Tabellen, Karten und Berechnungen stellte. »Selbst gemacht«, sagte sie, er: »Nicht von uns«, sie: »Sondern von einem Imker«, er: »Einem Nachbarn«, sie: »Dessen Bienen in unseren Garten kommen.« Ja, ihre Sprechweise, die kein gegenseitiges Ins-Wort-Fallen war, sondern ein völlig organisches Den-Satz-des-anderen-Ergänzen-Fortführen-Beenden, eine Art Wechselgesang oder Duett, oder als dächten zwei Personen einen Gedanken, oder als spräche eine aus zwei Mündern.

Als sie aufbrachen, war ich ans Fenster getreten. Der Hof war übersät mit Löchern, in denen sich das Wasser gesammelt hatte. Sie hatten sich untergehakt und sprangen über die Pfützen, in der Rechten hielt er den Schirm, unter den sie sich vor dem plötzlich stärker einsetzenden Regen beugte. Sie sprangen zusammen ab, kamen zusammen auf, und da sie dabei untergehakt blieben, hatte es seltsam ausgesehen, wie eine besonders schwierige, kaum zu bewältigende Paarlaufübung.

5
GLENDENNING

In dieser Nacht scheint, als ich das Ende des Asphaltwegs erreiche, wo er in strähniges Gras übergeht, Licht auf, ein verwaschenes Scheinwerferleuchten, der Himmel über dem Waldstreifen hinterm Acker erstrahlt, gleich darauf ist ein dunkles Röhren zu hören, und nun weiß ich, dass das Licht von einem Truck stammt, der auf der Chaussee hinter den Windräderhügeln durch den Regen und die Dunkelheit pflügt. Der Fahrer hat die Sirenenleine gezogen. Zur Warnung? Aus Spaß? Um einer in der Nähe wohnenden Geliebten seine Vorbeifahrt anzuzeigen? – Hier bin ich. Hörst du mich? – Mag sein, dass sie das Kissen umarmt und ihm ihre Gedanken zufliegen – Ach, hielte er doch an! –, während mich dieses Röhren mitten auf dem aufgeweichten niedersächsischen Acker in die mit winzigen Verbundglasstücken übersäte Straße an der Pier von Hoboken, gegenüber der Südspitze Manhattans, katapultiert, in der die Fahrer ihre Zugmaschinen abgestellt hatten.

Ja, jetzt sehe ich die *Mildred,* auf der ich damals gearbeitet habe. Nachdem die Container verladen waren, steckten die Fahrer die Lieferpapiere in die Brusttasche ihrer Montur, kletterten in das Führerhaus, und wenn sie in die von der Pier wegführende Water Street bogen, heulte die Sirene auf, Abschiedsgruß, den Dave, der den Befehl auf der *Mildred* hatte, nicht unerwidert lassen konnte, eine Frage der Ehre, er zog die Sirenenleine, so dass mit jedem in die Water Street biegenden Truck dieses Röhren durch die Straßen Hobokens flog und weit über den Hudson schallte.

Und jetzt treten auch die Umrisse des Truckhofs hervor, in dem die Unterkunft lag, die wir Flussfahrer (sofern wir nicht an Bord schliefen) mit den Truckleuten teilten, und ich sehe den kleinen Mann, der mir an einem ähnlich lustlos verregneten Tag wie heute eingangs des Hofes mit hüpfenden Schritten entgegenkam. Er steuerte auf mich zu, baute sich vor mir auf, schaute mich an und nannte seinen Namen: »Glendenning, Bill Glendenning.« Und als ich mich ebenfalls vorstellte – »Thomas« –, schüttelte er den Kopf. Er hatte ein schmales, von Falten durchfurchtes Gesicht und helle wässrige Augen, er schaute mich von unten her an, sein Gesicht kam näher, er stellte sich auf die Zehenspitzen und wiederholte, indem er hinter jeder Silbe eine Pause einlegte: »Glendenning«. Und als ich nickte, winkte er ab und hüpfte zu den Schuppen, die am Ende des Hofes lagen. In der Tür drehte er sich um und warf mir einen Blick zu, und plötzlich wusste ich, dass ich nicht bestanden hatte. Er hatte mich einer Prüfung unterzogen, und ich war durchgefallen.

Das war es, was mir sein Blick zu verstehen gab. Gleichzeitig spürte ich etwas wie Trauer, Enttäuschung, nicht unähnlich jener, die mein Großvater zeigte, wenn ich auf seine Fragen nicht antworten konnte. Er sagte: Was macht Das scharfe Eck, Das Windloch, Der Kanthaken? Lokale oder Etablissements (wie er sie nannte), die in der Nähe von Schleusen oder früher häufig angefahrenen Liegeplätzen gelegen hatten, nun aber längst geschlossen, wenn nicht verfallen waren und an denen man bestenfalls noch eine verblasste Inschrift erkannte. Auch die Erwähnung dieser Lokale (oder Etablissements) hatte etwas von einer Prüfung, die er bei Nichtbestehen mit einer Handbewegung beendete, um mir danach, wie der kleine Mann in Hoboken, einen traurig-verächtlichen Blick zuzuwerfen.

Am Abend saß ich mit dem Leiter des Truckhofs in der Cafeteria, die zur Unterkunft gehörte. Er war so dick, dass er für jede Gesäßhälfte einen der kleinen Drahtstühle brauchte, und dennoch war es so, dass die von den Hosen zusammengehaltenen Fleischmassen links und rechts über die Sitze hingen. »Glendenning«, sagte ich, »einer Ihrer Arbeiter heißt Glendenning.« Er überlegte kurz, um dann zu verneinen. »Auf dem Hof arbeiten vierzehn Leute, zwei Mechaniker, ein Tankwart, die beiden Frauen, die die Cafeteria betreiben, zwei Wachleute, die anderen gehören zur Putzkolonne.« Er lehnte sich gegen die Stuhllehnen, die sich quietschend zurückbogen, und schloss die Augen, wie um sich das Bild eines jeden ins Gedächtnis zu rufen. »Glendenning?« Ich beschrieb ihm den Mann. Aber er blieb dabei: »Nein, Sie müssen sich täuschen.«

Am nächsten Morgen fuhren wir mit Landmaschinen nach Poughkeepsie, Hudson aufwärts, wo wir Kies nehmen sollten, doch da sich das Entladen verzögerte, nahm die *Linda*, unser Schwesterschiff, den Kies, während wir mit Leergut zurückkamen, Holzkisten, von denen die meisten beim Beladen zerbrachen, überall an Deck, auf der Brücke, in den Durchgängen lagen zersplitterte Bretter.

Nachdem wir in Hoboken festgemacht hatten, gegen drei Uhr morgens, ging ich in meine Kammer, doch als ich in den Durchgang trat, stieß ich in der Dunkelheit (die Lampen waren kaputt) gegen eine Leiste, die zwischen den Eisenstreben der Stufen klemmte, und stürzte die Treppe hinab; eine Weile lag ich benommen da, dann, beim Aufsetzen, spürte ich in der linken Hand einen stechenden Schmerz und rollte zur Seite. Dave kam die Treppe herab, und als er die Taschenlampe auf die Hand richtete, sahen wir, dass das Gelenk schon so geschwollen war, dass es fast den Umfang des Oberarms erreichte. In einer Klinik an der Chambers Lane, zu der er mich fuhr, wurde der Arm geröntgt und ein Bruch über dem Handgelenk festgestellt, der wegen der Schwellung nicht eingegipst werden konnte. Der Arm wurde auf eine Schiene gelegt und mit schlammfeuchten Tüchern umwickelt, die nach Kräutern rochen und, als wir wieder in die Klinikauffahrt traten, schon zu einer harten Schale getrocknet waren.

»Und jetzt?« fragte Dave, »wohin soll ich dich bringen?«

Anfang November, morgens halb sieben, die Sonne war gerade aufgegangen, Dämmerlicht, vom Fluss zog es kalt herüber. Da ich keine Wohnung hatte und auf dem Schiff nur im Weg sein würde, sagte ich, dass er mich am Truckhof absetzen solle. Dave überlegte, dann blieb er stehen und sagte, ich könne seine Wohnung haben (er lebte ohnehin auf dem Schiff), und so kam ich in die Rivington Street.

Nachdem wir meinen Koffer vom Schiff geholt hatten, fuhr er mich durch den Holland Tunnel nach Manhattan hinüber, ein Stück den Broadway hinauf, um an der Third Street nach rechts abzubiegen. Alles (in der Erinnerung) in einer schnellen, bewusstlosen oder den Zustand der Bewusstlosigkeit streifenden Folge, das eine ergab sich aus dem anderen, und alles zusammen – die Holzkisten, die Leiste auf der Treppe, der gebrochene Arm, Daves Angebot – sorgte dafür, dass ich den Mann vom Truckhof wiedergesehen habe.

Am Abend lag ich auf dem Rücken im Bett und sah zur Decke, während ich spürte, wie mich das Stampfen, Vibrieren, Zittern der Stadt in Schwingungen versetzte, als befände ich mich im Bauch eines Ozeanriesen, doch während mich die Geräusche und Bewegungen eines Schiffes zu beruhigen pflegten, brachte das Stampfen, Vibrieren, Zittern der Stadt alles in mir zum Aufruhr. Ich schwang mit, oder besser: *es* schwang, es schwang in die eine Richtung, während sich meine Sinne, mein Körper in die andere stemmten. Ihr Arm braucht Ruhe: der Arzt. Na gut. Aber wie, wenn das Dröhnen, Schrillen, Rumoren vorm Fenster in mir wie in einem leeren Laderaum widerhallte? Ich konnte nicht schlafen, und nachdem ich wieder aufgestanden war, es war gegen Mitternacht, dachte ich, dass ich genauso gut rausgehen könne. Ich zog mich an, legte den Arm in die Schlinge, ein schwarzes, zum Dreieck gefaltetes, an den Enden verknotetes Tuch, und stieg, da der Fahrstuhl außer Betrieb war (er war immer außer Betrieb), die Treppe hinunter, die Gänge hatten die Farbe verfaulter Kartoffeln, auf jedem Stockwerk brannte eine nackte Glühbirne unter der Decke, sie gab nicht mehr als ein düsteres Glimmen, und auf der Treppe war es so eng, dass nicht zwei aneinander vorbeigehen konnten. Wenn mir jemand entgegengekommen wäre, hätte sich einer von uns an die Wand drücken müssen, aber es kam mir niemand entgegen, ich hatte die Treppe für mich, doch hinter jeder Tür hörte ich, als ich irrtümlich in einen Etagengang bog (die Gänge waren breiter, fast kleine Straßen), Geräusche: Reden, Flüstern, schlurfende Schritte, Kratzen und Schaben, eine leise singende

Frauenstimme, schweres Atmen oder Keuchen, ein gleichmäßiges, umherwanderndes Klopfen, als suchte jemand die Wände nach Hohlräumen ab – wie von fern und zugleich ganz deutlich.

Ein halbes Jahr zuvor hatte ich das Naval College mit dem Patent verlassen und war von der Reederei (die auf unklare Weise mit der Hudson Inc. verbunden war) hergeschickt worden, um mit der Umstellung von Schütt- auf Stückguttransport Erfahrung zu sammeln, ein wichtiger Auftrag, von dem, wie mir versichert worden war, die Schwesterfirma in Newark Kenntnis hatte, weshalb ich davon ausgehen konnte, dass man mir in alle wichtigen Betriebsabläufe Einblick gewährte. Doch dann wurde ich auf einen der ältesten Kähne gesteckt, die ich jemals gesehen hatte, und anstatt den meinem Patent angemessenen Posten an Bord zu bekleiden, fuhr ich, ungeachtet meiner Proteste, als eine Art vierter Mann, der, wo immer sich ein Lücke auftat, einspringen musste.

Nach meiner Ankunft hatte ich mich bei der Agentur gemeldet und war am selben Tag auf das mir zugeteilte Schiff gegangen. Wir waren stromaufwärts nach Poughkeepsie, Rhinebek, Albany, Troy und einmal auch durch die Newark Bay in den Hackensack River gefahren, so dass ich Manhattan nur über den Fluss hinweg oder vom Fluss aus gesehen hatte. Jetzt war ich mittendrin und versuchte mir Daves Worte in Erinnerung zu rufen. Nachdem wir am Morgen vom Broadway abgebogen waren, hatten wir mehrere breite Straßen überquert, um schließlich in kleinere oder (sagen wir) nicht ganz so breite, mit verlotterten, verfallenden oder nur noch als Brand- oder Abrissruinen stehenden Häusern vorzustoßen. Ich blickte zum Fenster hinaus, während ich seiner leisen, fast tonlosen Stimme lauschte. Ich war Anfang zwanzig, er zehn Jahre älter, und ich erinnere mich, dass er mich wie ein älterer Bruder mit allen möglichen Stadt, Viertel, Haus, Wohnung betreffenden Ermahnungen versorgte: Wenn jemand klopft, vorm Öffnen der Tür die Kette vorlegen, vorm Weggehen wegen der Feuerleiter (Einstiegsgefahr) das Fenster schließen, auf der Straße sich nicht durch gute Bekleidung, zögerndes Gehen, unmotiviertes Stehenbleiben, ständiges Kopfwenden oder neugieriges Starren als Fremder zu erkennen geben, sondern blicklos, aber zügig, wie auf ein Ziel zu, vorwärts schreiten. Ist es heute noch so? So war es jedenfalls damals, Anfang der Siebziger, und daran dachte ich, an Daves Worte, als ich die doppelt verschlossene Haustür aufsperrte.

In der Straße war gelbes Licht, über den Dächern glühte ein rotschwarzer Himmel. In den Hauseingängen lehnten abwesend blickende Burschen, die beim Rauchen die Hände um die Zigarette wölbten; ein Geschäft (Lebensmittelladen? Drogerie?) war noch offen, die Tür stand auf, aber davor war ein Gitter runtergelassen, und dahinter sah ich eine alte Frau mit schläfrigen Augen herüberstarren. An der Ecke Rivington/Ludlow das grüne

Flackerlicht einer Bar, ich überquerte die Straße, und als ich eintrat, fiel mir ein Mann auf, der, den Rücken zur Tür, am Ende der langen, sich durch den ganzen Raum ziehenden Theke hockte. Die Bar war fast leer. Nur der Mann, ein älteres Paar an einem niedrigen Glastisch (mit eingravierter Chivas-Regal-Reklame) und die Bedienung, ein junges Mädchen, das von einem dicken vor ihr auf dem Tresen liegenden Buch aufsah und auf meine Bestellung hin zum Zapfhahn eilte, während der Mann über die Schulter schaute. Er blickte vom anderen Ende des Tresens zu mir herüber, und obwohl es dunkel war (es gab nur das Licht von den Kerzen), erkannte ich ihn: der Mann vom Truckhof – jetzt fiel mir sein Name ein, Glendenning, kein Zweifel. Ich winkte ihm zu, während er auf meine Armschlinge starrte. Ich winkte noch mal, doch er blickte zur Seite. Auf dem Weg zur Toilette kam ich an ihm vorbei. »Mr. Glendenning?« Worauf er sich umwandte, kurz, um sich gleich wieder wegzudrehen. »Wir haben uns auf dem Truckhof gesehen.« Er nahm einen Schluck aus dem Glas, stellte es ab und sagte, dass er sich nicht erinnern könne. »In Hoboken.« Da sei er nie gewesen. »Aber Sie sind doch Mr. Glendenning.« Nein, sei er nicht, da müsse eine Verwechslung vorliegen.

An diesem Abend trug er einen Anzug, ein weißes Hemd, der Kragen stand offen, und auf dem Hocker neben ihm lag ein grauer Mantel. Als ich von der Toilette zurückkam, sah ich, wie er ihn nahm und zur Tür ging, worauf ich zahlte und ihm folgte. Er bog in die Ludlow ein, es war morgens gegen halb zwei, die Straße leer, die Läden hatten geschlossen, die Eisenjalousien waren runtergelassen; er ging nah an den Häusern vorbei, die Hände in den Taschen. Eine Verwechslung? Nein, völlig ausgeschlossen. Das Faltengesicht, die hellen Augen, das braune, weißsträhnige Haar, und natürlich sein Gang, der dieses seltsam Hüpfende hatte, mit jedem Schritt schnellte er in die Luft, um gleich wieder auf der Erde zu landen.

Ich folgte ihm im Abstand von ungefähr fünfzig Metern. Manchmal wurde er vom Schatten der Häuser so vollständig aufgesogen, dass ich glaubte, ihn verloren zu haben, bis er beim nächsten Straßen- oder Häuserlicht wieder ausgespuckt wurde. Häuserlicht? Nein, eigentlich gab es nur ein einziges Haus, aus dem Licht drang, aus dem Schaufenster eines Ladens, der anscheinend geöffnet hatte, das Licht fiel auf den Bürgersteig, und in diesem Licht sah ich ihn: Er trat aus dem Hausschatten ins Licht, blickte durchs Fenster, ging weiter, trat wieder in den Schatten – und blieb verschwunden. Ich ging bis zur nächsten Ecke und kehrte dann zu dem Laden zurück, hinter dem ich ihn verloren hatte. Ein Laden? Auf dem Fenster zwei Schriftzüge, die zwei offene Halbbögen beschrieben, der obere lautete *Reader*, der untere *Adviser*, und zwischen beiden der Umriss einer Hand, aus grüner Neonröhre gebogen. Ein Wahrsager. Glendenning war vor dem Fenster eines Handlesers und Wahrsagers stehen geblieben. Die Wände des Zimmers waren mit schwarzen, gleichmäßige Falten werfenden Stoffbahnen bespannt; in der Zimmermitte stand ein Tisch mit zwei Stühlen, die Tischdecke, aus rotem Samt, reichte bis zum Boden, und in der Tischmitte eine Glaskugel, die ein weißes Licht abstrahlte, und dieses Licht war (abgesehen von dem der Neonröhrenhand) das einzige, das das Zimmer erhellte; der Raum war leer, nur der Tisch, die beiden Stühle, die Kugel und ein weißer Schäferhund, der, den Kopf auf den Vorderläufen, vor der schwarzen Stoffwand im Hintergrund ruhte; plötzlich hob er den Kopf, und als er mich anschaute, trat ich unwillkürlich einen Schritt zurück, nicht weil er so furchterregend wirkte, sondern weil ich mich beobachtet fühlte: erkannt als einer, der anderen nachspionierte. Sein Blick hatte etwas – ich kann es nicht anders sagen – Gleichmütiges und zugleich Spöttisch-Vertrautes, als hätte er mich, den in dieser Stadt niemand kannte, der zum ersten Mal in dieser Straße war, vor diesem Fenster, zu eben dieser Stunde erwartet.

Neben dem Fenster, etwas zurück, schon im Schatten, lag eine Tür, die dasselbe Emblem, Schrifthalbbögen und Neonhand, zeigte. War Glendenning bei dem Wahrsager eingetreten? Ich drückte die Klinke herab, doch die Tür war verschlossen. Eine Glastür, dahinter ein dunkler Vorhang, man konnte nicht hindurchsehen, an der Wand daneben der schwarze Punkt einer Klingel. Ich hob die

Hand, doch dann ließ ich sie sinken und ging weiter, um gleich wieder umzukehren. Über der Klingel hing ein gelber, mit Klebestreifen befestigter Zettel, auf dem kein Name stand, sondern ein kurzer Text, vier, fünf Zeilen in einem altertümlich anmutenden Englisch, die ich beim Schein des Feuerzeugs überflogen hatte. Der Wortlaut? Ich hatte ihn schon vergessen, meinte aber plötzlich, mich erinnern zu sollen. Ich trat ein zweites Mal an die Tür, ließ wieder das Feuerzeug aufschnappen und las, bis es so heiß wurde, dass ich mir die Hand verbrannte. *Leicht ist es, dem Kummergebeugten Geduld zu raten, den heimlosen Wanderer zu trösten an der Schwelle des Hauses. Wenn unsere Olive und unser Wein singen und lachen um unser Tor. Und unsere Kinder Blumen bringen und Früchte.* Was war das? Eine Nachricht? Für welchen Empfänger? Auf dem Heimweg sprach ich die Worte vor mich hin, bis ich sie auswendig konnte, und zurück in der Rivington, schrieb ich sie auf ein Blatt Papier, das ich an einen Nagel über dem Küchentisch hängte. Inzwischen war ich fast vierzig Stunden auf den Beinen, ich legte mich mit den Kleidern aufs Bett und schlief augenblicklich ein, um erst am Mittag von dem durch meinen Kopf tosenden Lärm wach zu werden.

Die Sonne stach ins Fenster, von der Straße drang das Heulen, Schrillen, Rumoren herauf, und darunter war, wie eine zweite Stimme, das Trappeln und Klappern von Schritten zu hören, als würde eine Meute von Sandalenträgern durchs Haus getrieben, doch als ich die Tür öffnete, vorsichtig, nur einen Spalt, sah ich die Mädchen, sie rannten an meiner Tür vorbei über den Flur, kehrten rennend zurück, um gleich darauf aus der anderen Richtung wieder an meiner Tür vorbeizustürmen, vier oder fünf junge Mädchen, alle in engen, über dem Schritt endenden Röcken und dünnen, durchscheinenden T-Shirts oder Hemden, unter denen sich ihre kleinen Brüste vorwölbten, an den Füßen keine Sandalen, sondern Pumps, und die waren es, die dieses trappelnde, klappernde, von den Wänden zurückgeworfene Geräusch auf dem Steinboden machten.

An der Wand, meinem Türspalt gegenüber, lehnten zwei Jungen in ihrem Alter (zwischen fünfzehn und zwanzig), in der Hand eine Lederpeitsche, die sie hin und wieder knallen ließen, indem sie den Arm hoben und ihn mit Schwung nach unten zogen, nein, eigentlich war es eine Bewegung aus dem Handgelenk, ein lässiges Aufflappen der Hand, das genügte, um den Knall in der Luft zu erzeugen und die Mädchen immer aufs Neue anzutreiben; sie schlugen in die Luft, und der Knall flog hinter den Mädchen her, die sich, wie ich jetzt sah, die Ellbogen gegenseitig in die Rippen stießen, sie rannten und rempelten einander weg oder traten sich gegen die Hacken, die Beine, bis die erste, das Mädchen, das sich einen kleinen Vorsprung erarbeitet hatte, ins Straucheln geriet und stürzte, die anderen sprangen über sie hinweg. Zwei waren Weiße, die anderen zwei oder drei hielt ich, wie die Jungen, für Puertoricaner.

Die Gestürzte war liegen geblieben, und als die anderen zurückgehetzt kamen, grapschte und schlug sie nach deren Beinen, so dass die eine, beim Versuch auszuweichen, stolperte, umknickte, fiel und im Fallen die neben ihr Laufende mitriss, während die letzte (es waren doch nur vier) hechelnd stoppte, um sich dann mit kurzen Tritten nach allen Seiten durch die sie von unten umklammernden, nach ihr schlagenden Hände, nach ihr zielenden Füße zu kämpfen, sie wühlte sich durch sie hindurch, und als sie das freie Gangstück erreichte, gellte ein Pfiff durch den Flur, der das Rennen für beendet erklärte.

Einer der Jungen, der Größere, hatte scharf durch die Zähne gepfiffen; der andere griff in sein Hemd, holte ein Bündel Geldscheine hervor, blätterte es durch, zog ein paar Scheine heraus und gab sie dem Größeren, der sie in den Gürtel steckte. Der Kleinere ging zu der zuerst Gestürzten und hielt ihr den Peitschengriff hin; sie fasste ihn, zog sich hoch, sank aber wieder zurück und blieb sitzen. Die beiden anderen waren aufgestanden, sie lehnten an der Wand, die Hände in den Seiten. Die Siegerin kam zurück, schleuderte die roten Pumps von den Füßen und ging in die Hocke, worauf der Größere, der das Geld eingestrichen hatte, hinter sie trat und ihr den Nacken kraulte. Sie pumpte nach Luft, dann hob sie den Kopf und schmiegte ihre Wange in seine Hand, sie schob ihr

Gesicht seiner Hand entgegen, ihr Kopf folgte seiner zurückweichenden Hand, und als er sie endlich fand, stieß der Junge ihn weg und griff in ihr Haar; er riss sie hoch, und als sie auf die Beine kam, legte er den Arm um ihre Taille, sein Arm umfasste ihren Leib, die Hand lag an ihrem Bauch, in der anderen hing die Peitsche, und so gingen sie aus dem Bild, und die Unterlegenen folgten.

Fiel ein Wort, ein einziges Wort? Nein, nur das Knallen, Trappeln, Klappern, Hecheln, Keuchen. Von dem Folgenden weiß ich nicht, ob ich es ebenfalls beobachtet habe oder ob es nicht Teil eines Traumes ist, den ich später hatte: Kaum waren sie aus dem Bild gegangen, kam die zuerst Gestürzte zurück, ein spindeldürres braunes Mädchen mit grellgrünem, über dem Bauchnabel endendem Hemdchen. Sie trat ins Bild und bückte sich nach den roten Pumps, die die Siegerin fallen gelassen hatte; sie hob sie auf, drückte sie zärtlich an die Brust und drehte sich in den Hüften, machte zwei Tanzschritte vor, zwei zurück, zwei nach jeder Seite, sie wiegte die Schuhe an ihrer Brust, wie es eine Mutter mit ihrem aus dem Bett genommenen Kind tun mochte, und schlug dann, völlig unerwartet – Iltis, der ein Küken reißt – die Zähne hinein. Ihr kleines, spitzes, mir zugewandtes Gesicht, mein Auge hinter dem Türspalt, keine zwei Meter von ihr entfernt, aber ich glaube nicht, dass sie mich sah. Ihr Kopf flog hin und her, während ihre Hände an den Schuhen zerrten, bis sie in Fetzen von ihren Lippen hingen.

Traum? Wenn, dann einer, der in meiner Erinnerung eine so enge Verbindung mit den anderen Bildern eingegangen ist, dass er sich den Beobachtungen in der Rivington hinzugesellte. Noch heute, Jahre danach, auf dem nächtlichen Asphaltweg, inmitten der wasserdurchtränkten niedersächsischen Äcker, im erneut einsetzenden Regen, sehe ich das Mädchen auf dem Gang, die roten Fetzen in ihren Händen, zwischen ihren Zähnen. Traum? Sicher ist, dass ich sie am Abend in jenem Saal, in dem die summenden Leute saßen, wiedergesehen habe. – Sie stand zur Linken Glendennings, er selbst saß, ein wenig erhöht, auf einer Art Thron, während sich der Hund, der mich zu ihnen geführt hatte, vor seinen Füßen wie eine Schnecke zusammenrollte.

Daves Wohnung hatte zwei Zimmer, das eine, in dem das Bett stand, lag nach vorn, hin zur Straße, das andere nach hinten hinaus; Arbeitsraum und Küche zugleich, hatte es ein Fenster, das zum Luftschacht zeigte. An den Wänden Regale, die aus Hohlblocksteinen und Brettern zusammengefügt waren, und darin zwei Bücher, die im Naval College auf dem Lehrplan gestanden hatten. *The Navigation of Flat-Bottomed Boats, The Deep*. Nachdem ich eine Weile darin geblättert hatte, setzte ich mich an den Tisch und entwarf einen Brief an die Reederei, den ich schon lange hätte schreiben sollen, aber aus Freude am Fahren (o Hudson, deine dunklen Hänge) immer wieder aufgeschoben hatte. Ich schrieb, dass ich bei meiner Verwendung als vierter Mann, zumal auf einem Schiff, das bei uns längst ausgemustert wäre, keine Aussicht auf Erlangung der von mir erwarteten Kenntnisse haben würde, und schloss damit, dass ich unter diesen Umständen um meine Abberufung bitten müsse. Meinen Unfall erwähnte ich nicht, weil es mir vorkam, als sei er geeignet, mein Scheitern – das war es ja – zu unterstreichen. Danach kochte ich Kaffee, ging ins vordere Zimmer, legte mich aufs Bett und schlief sofort ein, um erst am Abend vom Klingeln des Telefons wieder wach zu werden. Es war Dave. Er fragte, wie es mir ginge. Gut, sagte ich. Er rief aus Poughkeepsie an, wo sie, unterwegs nach Albany, mit Maschinenschaden liegen geblieben waren.

Inzwischen war es wieder dunkel geworden. Die Straße schickte ihr Neonlicht hoch, vorm Fenster trieb Regen, und als ich in die Küche ging, fiel mein Blick auf die Worte, die ich über der Klingel des Wahrsagers gelesen und auf ein Blatt geschrieben hatte, *Leicht ist es, dem Kummergebeugten Geduld zu raten,* und dachte, dass sie (wie die folgenden) nach einer Fortsetzung verlangten. Aber wie? Wie mochte sie lauten?

Der Kühlschrank war leer, also stieg ich die Treppe hinab. In der Rivington lagen mehrere Geschäfte, von Latinos oder Koreanern betriebene Delis, die ihre Waren unter Markisen auf dem Bürgersteig aufgebaut hatten. Aber anstatt etwas zu kaufen, ging ich weiter, um kurz danach in die Ludlow einzubiegen. Jetzt, am frühen Abend, es muss gegen sieben gewesen sein, war die Leuchtreklame ausgeschaltet und der Vorhang zugezogen, beinahe wäre ich daran vorbeigegangen, doch dann sah ich den Handumriss, umrahmt von den beiden Schrifthalbbögen, trat an die Tür und ließ das Feuerzeug aufflammen. Der gelbe Zettel war verschwunden, dafür hing ein roter da, auf dem ebenfalls ein paar Zeilen standen. *Dann ist vergessen der Sklave, der tritt und tritt in der Mühle, der Gefangene in Ketten und der Soldat, der getroffen stürzt zwischen Tote. Leicht ist es, im Zelte des Wohlseins zu sitzen. Und einen Gott zu sehn in jedem Windstoß da draußen.*

»Mr. Glendenning?«

Ich fuhr herum und sah einen Schwarzen, der, begraben unter Decken und übereinander geworfenen Tüchern, in einem kleinen, an den Seiten mit Pappe abgedichteten Leiterwagen saß, aus dem vorn seine nackten Füße ragten. Auf dem Kopf trug er wie die Portiers in großen Hotels eine braune Schirmmütze mit gelbem Streifen, an seinem Hals hingen Bänder und Ketten, an denen verschiedene Gegenstände befestigt waren: eine Fahrradklingel, eine Taschenuhr, Muscheln, Federn, Schlüssel in mehreren Größen. Ein langer Stab lag quer über den aufgewölbten Decken und Tüchern, und zwischen den Sprossen steckte ein Schirm, den er trotz des stärker gewordenen Regens nicht aufgespannt hatte.

»Mr. Glendenning«, wiederholte er mit einer hohen, singenden Stimme. »Mr. Glendenning, Sir, entschuldigen Sie, dass ich Sie nicht gleich erkannt habe.« Dabei nahm er seine Mütze ab und deutete, so gut das im Sitzen möglich war, eine Verbeugung an. Er senkte den Kopf, während er die Hand mit der Mütze auf den Decken- und Tücherwulst legte.

»Wir haben Sie schon erwartet.« In seinen Augen lag derselbe Glanz, den ich bei Glendenning gesehen hatte. »Aber wir wussten nicht, von wo, wie, ich mein', auf welchem Weg Sie sich zu uns gesellen würden. Deshalb hab ich, meine Wenigkeit, am Busbahnhof gewartet, während Ed, Edward Safran, mein' ich, am Grand Central nach Ihnen schaute. Mr. Hobbes war überzeugt, dass Sie über den Fluss kommen würden, seit Wochen hat er die Anlegestellen und Truckhöfe im Auge behalten. Aber nun ...« Er plapperte, die Worte fielen aus ihm heraus wie nach einer großen Angst oder Anstrengung, die von Erleichterung abgelöst wurde. »Wenn Sie die Güte hätten ...« Er nahm den langen Stab, der quer über dem Decken- und Tücherwulst lag, und indem er ihn wie ein Stechpaddel gebrauchte, stakte er, mit den Füßen lenkend, die die aufgerichtete Deichsel umklammerten, die Straße hinab.

Ich ging hinter ihm her, und eine Weile waren nur der pladdernde Regen und das Rollen und Quietschen der Wagenräder zu hören. Am Ende des Blocks bog er in eine Einfahrt, die unter einem Gebäude hindurch auf einen großen Innenhof führte, auf den, nach der nächsten Durchfahrt, ein kleinerer folgte. Wir durchquerten mehrere Höfe, er in seinem Leiterwagenkanu vorweg, und jedes Mal, wenn wir in einen neuen Hof traten und er sich umdrehte, dachte ich, dass ich den Irrtum aufklären sollte. Als wir in den fünften oder sechsten Hof kamen, sah ich etwas Weißes, den Hund, der mich im Studio des Wahrsagers angeschaut hatte, er schien auf uns zu warten. Er saß mit aufgerichteten Ohren da, lauschte, sah uns entgegen, und als wir heran waren, stand er auf und lief vor uns her. Es war – habe ich das schon gesagt? – völlig dunkel, aus keinem der Hofhäuser fiel Licht, und von oben, die Stadtgeräusche zerklopfend, der Regen; der Himmel im Ausschnitt der Dächer rostrot. Der weiße Hund, der stakende Mann (verstummt seit Betreten der Höfe), dann ich, alle im Abstand von wenigen Metern, und als wir in den achten oder neunten Hof kamen, sah ich Licht hinter den Fenstern zu ebener Erde; die Vorhänge waren zugezogen, bedeckten die Fenster aber nicht ganz, so dass durch die Lücken an den Seiten scharfe Lichtkeile in die Dunkelheit stachen.

Der Hund schlüpfte durch die Tür, und als sich der stakende Mann umdrehte, bemerkte ich auf seinem Gesicht, das sich in einem der Lichtkeile befand, einen Ausdruck, den ich noch heute nicht anders als hochachtungs- oder ehrfurchtsvoll bezeichnen kann. Sein Mund war geschlossen, doch aus seiner Brust drang ein Summen, wie von einem großen Insekt, das in ihm saß und sang, und das ich nun auch aus dem Innern des Hauses hörte. Ja, seit der Hund durch die Tür geschlüpft war, drang dieses Summen, vielstimmig, mächtig, in Wellen an- und abschwellend (ein Hornissenschwarm?), nach draußen. Der Mann, Meinewenigkeit, verbeugte sich wieder und wies mit der Hand auf die Tür, um mir zu bedeuten, dass ich, bitte, vorangehen solle.

War es eine aufgegebene Turnhalle, in die wir kamen? Jedenfalls erinnere ich mich an Kletterstangen, ein Reck, von der Decke hängende Ringe, in einer Ecke zusammengerückte Sprungkästen und Barren sowie an übereinander getürmte Ledermatten. Die Stuhlreihen waren bis auf den letzten Platz gefüllt, in der Mitte war ein Gang frei gelassen. Als ich eintrat, standen die Leute auf und legten die Hände zusammen, dabei wandten sie mir die Gesichter zu, in denen ich die gleiche Hochachtung oder Ehrfurcht wie bei Meinewenigkeit bemerkte.

Der Hund saß hinter der Tür und schaute mich aus seinen bernsteinfarbenen Augen an, den Kopf leicht zur Seite, als wartete er auf ein Zeichen. Das Summen war zu einem mehrstimmigen Choral angeschwollen, in dem ich manchmal Bruchstücke von Kirchenliedern zu erkennen meinte. War ich in die Versammlung einer religiösen Sekte geraten?

An der Schmalseite des Raumes, der Tür gegenüber,

stand ein niedriges Podest, zu dem ein paar Stufen führten, und dort erblickte ich Glendenning, oder besser den, den ich dafür gehalten hatte, während es sich bei ihm in Wirklichkeit wohl um jenen von Meinewenigkeit erwähnten Hobbes handelte, der in Hoboken auf einen Mann namens Glendenning gewartet hatte. Glendenning, Bill Glendenning, das war keine Vorstellung, sondern eine Frage gewesen. Er saß, angetan mit einem Umhang aus zusammengenähten Stoffflicken, auf einem Lehnstuhl, den man mit allerlei Beiwerk zum Thron herausgeputzt hatte: Die geschwungenen Beine waren mit goldfarbenen Fahrradschläuchen umwickelt, aus dem Rahmen der Rückenlehne schienen Blumen zu wachsen, Plastikblumen, wie ich dann sah, die man in das Holz gesteckt hatte, und die Knäufe der Armlehnen wurden von Uhren gebildet, großen mechanischen Weckern, deren Zifferblätter nach vorn, in Richtung der Versammlung, zeigten.

Hobbes war als einziger sitzen geblieben, während sich die beiden Mädchen, die etwas tiefer saßen – es war ein dreistufiges Podest –, ebenfalls erhoben hatten. In der einen erkannte ich das spitzgesichtige Mädchen, ihr grellgrünes Hemdchen leuchtete mir entgegen; die andere, eine Weiße, war so dick, dass ihre Oberschenkel aneinander rieben, obwohl sie die Beine weit auseinander gestellt hatte, ihr kleines Kinn war tief in das quellende Halsfett gesunken, so dass ich unwillkürlich an den Leiter des Truckhofs dachte, mit dem ich über Glendenning gesprochen hatte. Auf den Händen hielt sie ein Samtkissen mit einer Uhr, wie ich sie auch bei Meinewenigkeit gesehen hatte, sie hatte dieselbe Größe und Form, nur dass diese um vieles kostbarer war. Während seine aus poliertem Stahl bestand, war diese aus Gold, in das am Gehäuserand kleine rot und grün funkelnde Steine eingelassen waren. Und nun fiel mir auf, dass auch die anderen Uhren trugen, sie hingen an Bändern oder Ketten an ihrem Hals, und als ich an ihnen vorbeiging, hoben sie diese hoch und hielten sie mir wie ein Erkennungszeichen entgegen. Obwohl es sich ausnahmslos um Kaufhausuhren handelte, Dutzendware, Ramsch, schienen sie doch das einzige von Wert zu sein, was sie besaßen. Ihre Kleidung war – wie mein Großvater sagen würde – ordentlich, was meinte, dass sie weder Flecken noch Löcher aufwies, aber auch, dass sie etwas Ärmliches, Tristes, Gleichförmiges hatte. Sauberkeit und Ordnungssinn als Geschwister der Armut, die diese überhöhten und einem Sinn zuführten, der besagte, es gehöre sich, unter keinen Umständen durch Extravaganzen aufzufallen. Auch wenn ich hier und da bunte Farbtupfen sah, war der Eindruck doch insgesamt grau: Jacken, Hosen, Pullover, Mäntel, Schuhe, Taschen, alles in sämtlichen Abstufungen grau. Und in die Gesichter war eine graue, gehetzte Müdigkeit eingegraben, gemildert einzig durch das Leuchten, das die Verzückung über mein (oder besser: Glendennings)

Erscheinen auf ihre Mienen gezaubert hatte. Hochachtung, Verehrung, Ehrfurcht, Verzückung – lange habe ich nach dem Wort gesucht, das ihren Gesichtsausdruck zu fassen imstande wäre. Ja, ich glaube, das ist es, Verzückung, so muss man es nennen. Sie wandten mir ihre heißen Gesichter zu, hielten mir die Uhren entgegen, und ich denke, es fehlte nicht viel, dass sie sich unter diesem anhaltenden, aus ihrer Brust dringenden Summen vom Boden erhoben und in der Luft zu schweben begonnen hätten.

Der Hund ging vor mir her, und als wir das Podest erreichten, ließ er sich nieder und rollte sich zusammen. Hobbes stand auf und kam mir in seinem Flickenteppich von Umhang entgegen. Er schritt die Stufen herab, nahm meine Hand und führte mich die Stufen hinauf, um sich oben des Umhangs zu entledigen und ihn mir um die Schultern zu hängen. Auf seinen Wink hin setzte ich mich auf den Thron, auf dem er gesessen hatte; auf einen zweiten Wink hin trat das Mädchen mit dem Samtkissen heran. Hobbes nahm die Uhr und hielt sie hoch, und im selben Moment fiel das Summen in sich zusammen, und in die plötzliche Stille hinein hob er an mit donnernder Stimme zu reden: Liebe Schwestern und Brüder – wobei er es in seiner Predigt wunderbarerweise verstand, ohne den geringsten Übergang mitten im Satz von einer Sprache in die andere zu fallen: Englisch, Spanisch, Deutsch, Französisch, Holländisch, Russisch (oder Polnisch), dazu einige, die ich nicht erkannte. Nach dem, was ich verstand, war der Erwartete eingetroffen, damit, sagte er, sei die Zeit der Vorbereitung abgeschlossen und die eigentliche angebrochen. Ich lauschte, und zugleich merkte ich, wie meine Gedanken auf Wanderschaft gingen. Ich sah mich in Greenwich über den Treidelweg gehen, stand im nächsten Moment am Kanal und hörte das Klirren, als mein Großvater gegen den Eisenring trat, an dem sein Kahn festgemacht hatte, und kaum war es verklungen, drang das Dröhnen der Trucksirenen an mein Ohr, in das sich das der *Mildred* mischte, weshalb ich mich plötzlich in den Straßen von Hoboken sah und gleich darauf hoch über dem Hudson schwebte, Newark, Manhattan, und nun, im nächsten Bild, stürzte ich über die Leiste die Treppe hinab und sah mich mit Dave in die Klinik fahren. Und in dieses letzte Bild hinein hörte ich ein vielstimmiges Amen, das Hobbes aus der Versammlung entgegenschallte.

»Amen.«

»Mr. Glendenning?«

Das Mädchen im grellgrünen Hemdchen war vor mir niedergekniet, und als ich aufblickte, sah ich Hobbes durch den Mittelgang gehen, ein kleiner Mann in einem grauen Anzug, der einzig dadurch auffiel, dass er bei jedem Schritt einen kleinen Sprung oder Hüpfer tat. Er hüpfte durch den Gang, die anderen waren aufgestanden, und als er an der ersten Stuhlreihe vorbei war, traten die Leute heraus und schlossen sich ihm an, dann folgten die aus der zweiten und dritten Stuhlreihe, bis sich ein langer Zug gebildet hatte. Sie gingen hinter Hobbes her in den Hof. Innerhalb weniger Minuten leerte sich der Saal. Ich trug noch den Umhang, saß noch auf dem Stuhl, und plötzlich begriff ich, dass ich ein Erwarteter war, den keiner benötigt hatte.

»Mr. Glendenning, Sir?«

Das Mädchen gab mir die Hand, und als sie sie wieder zurückzog, fühlte ich etwas Hartes, Kaltes, einen kleinen Revolver, in dessen Trommel (wie ich später in der Rivington sah) eine einzige Patrone steckte. Ich weiß noch, dass ich, nachdem auch das Mädchen hinausgelaufen war, irgendwie auf die Ludlow gelangte, wo ich mir bei einem Koreaner ein Pfund Bananen kaufte.

Am nächsten Morgen schrieb ich den Brief an die Reederei, dann packte ich meine Tasche, stieg auf die Straße hinab und nahm mir ein Taxi nach Hoboken. Während wir durch den Tunnel fuhren, schlug ich die Zeitung auf, die auf dem Rücksitz lag, und las, dass in der Nacht eine Reihe von Anschlägen verübt worden sei. In Brooklyn waren offenbar durch Brandlegung große Teile einer Raffinerie den Flammen zum Opfer gefallen; in der Nähe der Börse war ein Auto in die Luft geflogen, und den Redakteur einer Tageszeitung hatte man in einer Tiefgarage erschossen aufgefunden. Im ganzen waren es vierundzwanzig Brandanschläge, Explosionen und

Morde (so viele wie der Tag Stunden zählt), die mit einer nicht näher bezeichneten Gruppe in Verbindung gebracht wurden. Ich saß auf dem Rücksitz des Taxis, und während ich das las, dachte ich, dass es eine Leichtigkeit wäre, das Spiel mit den Stunden auf eines mit Minuten, Sekunden und Nanosekunden auszuweiten.

In Hoboken bezog ich wieder mein Zimmer im Truckhof, und als ich am nächsten Mittag hörte, dass die *Mildred* angelegt hatte, ging ich an Bord und bat Dave, mich mitfahren zu lassen. Wir luden Koks, der für Albany bestimmt war. Am frühen Abend legten wir ab. Da ich für die Arbeit nicht taugte, setzte ich mich aufs Vorschiff, in der bangen Ahnung, dass es meine letzte Fahrt sein könnte. Gegen acht kamen wir an Peekskill vorbei, am Himmel war noch ein schwaches Leuchten, doch als wir die Bear Mountain Bridge unterquert hatten, war es völlig dunkel geworden. Aus den Wäldern an den steilen Uferhängen blinkten einzelne Lichter, und ich dachte, dass es derselbe Fluss war, dieselben Berge, die Hudson von seinem Schiff, der *Half Moon*, aus gesehen hatte. Kurz danach bemerkte ich die Lichter von West Point, und als wir heran waren, sah ich über uns, am Ostufer, den Namen aufleuchten: Glendenning. Er brannte auf einer Länge von hundert Metern, jeder einzelne Buchstabe brannte, aus jedem schlugen die Flammen, bevor sie, zuerst auf den Abstand zwischen den Buchstaben, dann auf den umliegenden Wald übergriffen. Dave, der nach vorn kam, hielt das Ganze für einen außer Kontrolle geratenen Reklamegag; ich wusste es besser, obwohl man es, natürlich, auch so nennen konnte.

Den Revolver habe ich kurz hinter Poughkeepsie ins Wasser geworfen, und nachdem wir in Albany angelegt hatten, ging ich von Bord und fuhr mit dem ersten Bus nach Niagara Falls, wo ich zu Fuß die Grenze nach Kanada überquerte. Es war morgens gegen sieben, als ich in den Bus stieg. Der Fahrer hatte das Radio eingeschaltet, in dem alle paar Minuten eine Beschreibung von Glendenning durchgegeben wurde, die allerdings nur sehr entfernte Ähnlichkeit mit mir hatte. Was mich beunruhigte, war, dass der Arm erwähnt wurde, »trug, als er das letzte Mal gesehen wurde, den linken Arm in einer schwarzen Schlinge«, weshalb ich zu dem Beamten, der meinen Pass kontrollierte, sagte: »Vielleicht bin ich Glendenning.« Worauf er ein ernstes Gesicht aufsetzte. »Sir, das ist nichts, womit man Spaß treiben sollte.« Und mich mit einer Handbewegung über die Rainbow Bridge nach Kanada schickte.

Von Hobbes las ich später, dass er eigentlich Montferrat hieß und sich den Alias-Namen Hobbes nur zugelegt hatte, um in der von ihm erkorenen Gemeinschaft nicht als etwas Besonderes aufzufallen. Er war Neuseeländer, französischer Abkunft, promovierter Chemiker, der, nach einer steilen Karriere in der Wirtschaft, als Holzfäller gearbeitet hatte, bis ihm in einer Palmblattbibliothek, die er anlässlich einer Indienreise besuchte, seine Bestimmung als Religionsstifter vorausgesagt wurde. Kurz nach Weihnachten war er auf derselben Brücke, die ich an jenem Novembertag überquert hatte, verhaftet worden. Die Anklage lautete auf Verschwörung, Brandstiftung, Mord. In dem Bericht, der im *Toronto Star* stand, wurde der Name Glendenning nicht erwähnt, und doch muss er in den Plänen Montferrats eine Rolle gespielt haben, und sei es nur die, eine falsche Fährte zu legen. Oder war Glendenning ein Verbindungsmann, der Kontakt zu ähnlichen Gruppen hielt? Wurde er erwartet, weil er eine Nachricht überbringen sollte? Oder hätte die Nachricht in seinem bloßen Erscheinen bestanden? War Montferrat, als er nicht erschien, ungeduldig geworden, und hatte er deshalb – möglicherweise unter Ausnutzung einer gewissen Ähnlichkeit – mich missbraucht, um das Zeichen zum Losschlagen zu geben? Demnach war er der einzige, der mich vom Verdacht, ihrer Gemeinschaft anzugehören, freisprechen konnte, eine Hochherzigkeit, auf die ich meinte, mich nicht verlassen zu sollen. Was, wenn es ihm in den Sinn kam, mich auf seinem letzten Gang mitzunehmen, der ihn nach Lage der Dinge auf den elektrischen Stuhl führen würde? Da schien es mir klüger zu sein, mein Wissen für mich zu behalten.

Das spitzgesichtige Mädchen habe ich noch einmal gesehen, und zwar in Toronto, an dem Abend, an dem ich die Nachricht erhielt, dass ich nach Deutschland zurückkehren solle. Ich war in das Postamt in der Cecil Street gegangen, an das mir Dave meine Briefe nachschickte, und als ich wieder herauskam, wartete sie da, noch immer in dem grellgrünen Hemdchen, über das sie mehrere Jacken gezogen hatte, die vorn offen standen, ihr dunkles Gesicht lag im Schatten einer Baseballkappe, die tief in die Stirn gedrückt war, weshalb ich sie erst erkannte, als sie den Kopf hob und sagte:

»Glendenning, Verräter.«

Dann drehte sie sich um und ging rasch in Richtung Beverly Street, worauf ich es, obwohl mein Zimmer in der Beverly lag, für besser hielt, die entgegengesetzte Richtung einzuschlagen.

6
KATHARINA

In dieser Nacht, als ich vor meinem Gang durch die Äcker die Stiefel anziehe, fällt mein Blick auf ein Bild in der Diele. Kein Foto wie das Luftbild, das die kreisrunde Anordnung der Häuser dokumentiert, sondern ein Farbdruck, wie man ihn manchmal auf den Seiten eines Kalenders findet, die Reproduktion eines Gemäldes, *Café an der Marne*, das in einer Vielzahl flirrender Punkte die Szene eines abendlichen Gartencafés beschwört: Offenbar war gerade ein Regen niedergegangen, von den Bäumen über den Tischen fallen einzelne große Tropfen, weshalb einige der dort sitzenden Paare die Schirme aufgespannt haben. Die Bänke, die Kleider, die Gläser, das Innere des Cafés, aus dem das Licht in den Garten fällt, die Gäste, die ihre Gesichter erwartungsvoll dem Betrachter zugewandt haben, alles in warmen Farben, die ich noch in mir trage, als ich kurz darauf am Ende des Dorfes auf den lehmverschmierten Asphaltweg biege und – weit weg – das Bellen von Hunden höre. In einem der im Dauerregen versunkenen, unter dem Wind hingeduckten Dörfer schlägt ein Hund an, dem ein anderer in einem anderen Dorf antwortet; von einem der stillstehenden Windräder blinkt rot ein verwaschenes Licht herüber, und auf einmal sehe ich mich in einem ähnlichen Gartenlokal auf einer der Bänke sitzen und mit demselben erwartungsvollen Blick, mit dem die Gäste des *Café an der Marne* den Betrachter des Bildes anschauen, den Eingang des Gartens im Auge behalten.

Es war vor vielen Jahren. Das Lokal, in dem ich saß, lag an keinem Fluss, sondern an der schnurgeraden zum Schloss Charlottenburg führenden Allee mit dem breiten, zu beiden Seiten von Bäumen gesäumten Mittelstreifen, von dem aus man die Kuppel mit der auf einer goldenen Kugel balancierenden Fortuna sehen konnte.

Ein schöner Abend, warm, gegen zehn, noch nicht ganz dunkel, die meisten Bänke waren besetzt; unter dem geschlossenen Blätterdach das bienenhafte Summen der Gespräche. Ich hatte einen Tisch für mich, doch alle naslang kamen Leute, die fragten, ob sie sich setzen dürfen, und jedes Mal schüttelte ich den Kopf. »Nein, es kommt noch jemand«, was insofern stimmte, als ich nicht ausschließen wollte, dass die Frau, mit der ich verabredet war, auf die ich wartete, wie ich auf wenige gewartet hatte, die aber nicht kam, die mich warten ließ, doch noch durch die Gartentür trat, und insofern nicht stimmte, als ich schon längst nicht mehr damit zu rechnen wagte – umso wichtiger war es, dass ich ungestört blieb, allein am Tisch, und mir *alles* notierte.

Ja, ich hatte einen Block hervorgezogen, auf dem, wie

ich mich jetzt erinnere, die gekreuzten Anker der Reederei abgebildet waren, für die ich damals gearbeitet habe, und während mein Blick immer wieder zur Gartentür ging, wanderten meine Gedanken zurück in die Stadt am Kanal, in den Klassenraum des großen Schulhauses, wo unsere Tische nebeneinander gestanden hatten, in das Haus meines Großvaters mit seinem an den Uferweg grenzenden Garten, in die Backsteinvilla ihrer Eltern, die kurz zuvor in die Stadt gezogen waren, in den Raum mit den seltsamen Maschinen und die Treppe hinauf zu ihrem Zimmer, in dem wir auf dem Bett gelegen hatten, in jener Nacht, um dann wieder, über die Jahre hinweg, einen Sprung nach vorn zu machen.

Am Nachmittag dieses Tages, an dem ich da saß, war ich vor den Plakaten eines Reisebüros in der Xantener Straße stehen geblieben: Faro, Djerba, Alicante, Kairo, Gizeh, die Pyramiden, und als mein Blick an den Plakaten vorbei ins Innere des Raumes glitt, war mir eine Frau aufgefallen, Ende dreißig, also in meinem Alter, eine Angestellte, die ein Gespräch mit einem Kunden führte. Oder bemerkte ich sie erst, als sie zu einem Schrank ging, um mit einem Packen Prospekte zurückzukehren? Ja, ich glaube, es war diese Bewegung, die die Starre des Raumes aufhob und meinen Blick von den Plakaten weg ins Innere lenkte, erst jetzt bemerkte ich sie, die Frau, ihren Gang, der etwas seltsam Vertrautes hatte. Sie trug eine weiße Bluse und einen dunkelblauen Rock, und als sie sich umdrehte, spürte ich, wie es mir einen Stich versetzte.

Es war Katharina, sie war es, oder – besser – sie sah aus, wie Katharina heute aussehen müsste. Und als ihr Kunde herauskam, ging ich hinein. Ich trat in das Reisebüro. Sie ordnete einen Stoß Papiere, gab ihn in ein Schubfach, hob den Kopf und kreuzte die Hände auf der Schreibunterlage.

»Kann ich Ihnen helfen?«

Sie hatte graugrüne Augen, die von einem Kranz kleiner Fältchen umgeben waren; ihr Haar, dunkel, war kurz geschnitten; die Hände schmal, wobei sich der kleine Finger der oben liegenden Hand ein wenig nach innen krümmte. Auf dem Schildchen an der Bluse ein Name, den ich nicht kannte. »Kann ich Ihnen helfen?« Nein, nicht ihre Stimme, ihr Tonfall. Sie schaute mich an, ohne ein Zeichen von Wiedererkennen; ihr Blick klar, geschäftsmäßig, freundlich. »Ja?« Und eine Minute danach stand ich wieder auf der Straße, mit einem Prospekt, um den ich gebeten hatte. Wenn ich weitergegangen wäre, was ich nicht tat, wäre die Sache erledigt gewesen. Aber ich blieb stehen, blickte wieder durchs Fenster und sah, wie sie sich über die Schulter ihrer Kollegin beugte, einer älteren Frau mit Lockenkopf. Sie beugte sich vor, und auf einmal fiel mir eine Bemerkung meines Großvaters ein, *fließende Trägheit,* womit er nicht nur ihre Art sich zu bewegen meinte, ihren Gang, sondern auch die zu reden, ihre Sprache, die etwas Schleppendes hatte, als wäre jedes Wort einer tiefsitzenden, bei einem so jungen Mädchen unerklärbaren Müdigkeit abgerungen; ihre Stimme, dunkelnäselnd, schleppte sich durch die Sätze, um plötzlich (selten) in einem glucksenden Lachen aufzuspringen und sich wieder zu glätten. Ihr Gang war gleitend, jedes Plötzliche, Abgehackte, Eckige meidend, als gehorche er einem Gesetz, nach dem jede einmal begonnene Bewegung zu einem Ende geführt werden müsse, und dieses Gleitende war es, das auch die Frau hinter dem Fenster hatte. Sie richtete sich auf, strich zugleich (oder in Fortsetzung des Aufrichtens) das Haar hinters Ohr, und da war mir klar, dass ich zurückkommen würde.

Es war kurz nach fünf. Ich ging zum Olivaer Platz, trank an einem Schnellimbiss einen Becher Kaffee, und um sechs stand ich wieder vor dem Reisebüro, das heißt, ein wenig abseits, halb hinter einer Litfasssäule, und sah, wie es hinter dem Fenster dunkel wurde, in dem schlauchartigen Raum, in dem auch tagsüber Licht brennen musste, waren die Neonröhren ausgeschaltet worden. Kurz danach kam ihre Kollegin heraus, der ältere Lockenkopf, eine hellbraune Einkaufstasche überm Arm, und tippelte die Xantener runter. Aber Katharina (oder die ihr zum Verwechseln Ähnliche) blieb aus, und nachdem ein paar Minuten verstrichen waren, trat ich ans Fenster. Sie saß, den Rücken zu mir, an ihrem Platz und telefonierte, den Hörer zwischen Ohr und Schulter, mit der Linken fixierte sie einen Zettel, auf den sie mit der Rechten etwas schrieb. Ich sah ihren Hinterkopf, ihren Nacken, ihren Rücken und dachte an das Zeichen, das ich ihr in die Schulter gebrannt hatte, auf dem linken Schulterblatt trug sie ein Brandmal, wie ich selbst eins neben dem rechten hatte, drei schwarze, übereck gesetzte Punkte, die sie so platziert hatte, dass es mir (wie ich mich auch drehe und wende) niemals gelingt, sie zu sehen oder mit der Hand zu berühren, die ich aber manchmal als Kribbeln, Stechen, mäßigen Druck oder heftiges Brennen spüre.

Sie legte den Hörer auf, riss den Zettel ab und schob ihn in die Tasche, und als sie aufstand, ging ich weiter, ein paar Schritte weg vom Fenster, damit ich aus dem Innern des Reisebüros nicht gesehen werden konnte, blieb aber gleich wieder stehen, um in dem Moment, in dem sie rauskam, den zufällig (erneut) Vorbeikommenden spielen zu können. Doch als sie dann kam, wandte sie sich zur anderen Seite, so dass ich hinter ihr hergehen musste. Ich folgte ihr wie Jahre zuvor Glendenning, das heißt, Montferrat, der sich Hobbes genannt hatte. Die Sonne fiel schräg in die Straße. Sie ging schnell, ohne das Gleitende einzubüßen (fast schien es, als bewegte sie sich auf Rollen), wobei sie in ihrer weißen Bluse, dem dunkelblauen Rock, mit der über der Schulter hängenden Tasche weniger den Eindruck einer Reisebüroangestellten machte als den einer Stewardess, zurück vom Überseeflug, der zur

Vervollkommnung des Bildes nur der kleine, praktische Koffer fehlte. Sie bog in die Konstanzer ein, überquerte am Olivaer Platz den Kurfürstendamm und blieb an der Bushaltestelle stehen. Der Moment, in dem ich sie ansprechen könnte. Doch ich zögerte, und als der Bus kam, stieg ich hinter ihr ein. Es war der 109er, zum Flughafen, mein Bus, der, den ich nahm, wenn ich in der Stadt war und nach Hause wollte. Er fuhr den Kurfürstendamm hinauf, bog am Adenauerplatz in die Lewishamstraße ein, um dann immer geradeaus, über die Kant- und Bismarckstraße hinweg, auf die Schlossbrücke zuzuhalten.

Sie saß zwei Reihen vor mir, strich sich mit einer beiläufigen Bewegung das Haar in den Nacken, während ich das Kribbeln am Rücken spürte, an der Stelle, die ich mit der Hand nicht erreiche. Sie hatte die Stiche ein wenig daneben gesetzt, nicht, wie abgemacht, auf die Schulter, sondern zwischen Schulterblatt und Wirbelsäule. Warum? Warum überhaupt? Aus Lust am Schmerzzufügen? Aus Ewigkeitswahn oder – im Gegenteil – Vergänglichkeitsfurcht, dem Wunsch also, ein Zeichen zu hinterlassen? Um bei ungewollt eintretender Trennung und Unbekanntwerden erneutes Erkennen des anderen zu garantieren? Möglich. Doch nichts davon wurde ausgesprochen, wie überhaupt in dieser Zeit kaum gesprochen wurde, es will mir als eine wortlose Zeit erscheinen, in der Handeln nicht von Worten begleitet oder durch Worte erklärt wurde, es war ein wortloses Tun, das, wenn überhaupt, erst im Nachhinein der Deutung anheim fiel. Das Tun war offen und suchte sich seine Erklärung selbst. Etwas geschah, weil es zu geschehen hatte, nicht als Folge vorherigen Bedenkens und Beredens – wie an jenem Abend, an dem sie zum Schrank ging, eine Schublade öffnete und (nicht ohne Feierlichkeit) Feuerzeug, Nadel und Tintenfass herausnahm, kein Wort, nur das wortlose Vorzeigen dieser drei Dinge, ihr Blick, fragend-spöttisch, worauf mir, wissend, dass dies der Preis sein würde, nichts anderes übrig blieb, als zuzustimmen. Nein, falsch. In diesem Augenblick wusste ich, dass es das war, genau das, was ich wollte.

Ich nickte, worauf wir mit dem Auskleiden begannen. Sie zog das Kleid über den Kopf, drehte sich um und zeigte die Stelle, auf die ich das Zeichen setzen solle, drehte sich wieder um und begann, mein Hemd aufzuknöpfen, während sie, den Mund an meinem Hals, flüsterte, dass es notwendig sei, unbedingt, dass es die Form eines Dreiecks habe, ihres mit der Spitze nach unten, meines mit der Spitze nach oben. Es war dunkel im Zimmer, sie hatte kein Licht eingeschaltet, aber der Vorhang war offen, so dass ich (ich stand mit dem Rücken zur Tür) über ihren Kopf hinweg durch den Fensterausschnitt in den etwas helleren Garten schaute; Baumumriss vor nachtklarem Himmel. Ich schob mein rechtes Bein vor, bis es, wie beim Tanzen, im Winkel zwischen ihren Beinen ruhte, aber sie glitt zurück, nahm das Feuerzeug, und als es aufflammte, war der Baum hinter dem Fensterausschnitt verschwunden. Sie ließ die Flamme auf den Kerzendocht überspringen und stellte die Kerze neben dem Bett auf den Boden.

Als wir einstiegen, war der Bus voll gewesen, die Plätze waren besetzt, die Leute drängelten sich im Gang, es roch nach Sommer und Schweiß; hinter der Kantstraße begann sich der Bus zu leeren, die Frau neben ihr stieg aus. Das war die Gelegenheit, mich neben sie zu setzen. Doch dann fiel mir ein, dass Katharina dies als Aufdringlichkeit empfunden hätte. Ich sah, wie sie den Kopf ans Fenster lehnte, ihr Kopf, ihre Schulter berührten die Scheibe, dann richtete sie sich auf, und nun fiel mir ein, dass ich ihr Haar (damals lang) hatte zurückschieben müssen. Sie lag ausgestreckt auf dem Bett, die Stirn auf den Händen, während ihr Haar wie ein dunkler Fächer über die Schultern gebreitet war. Wenn sie stand und das Haar offen trug, reichte es bis zur Taille. Ich griff mit der Hand hinein und strich es, unter leisem Knistern, zur Seite.

Der Bus überquerte den Spandauer Damm, links das Schloss, der Schinkelpavillon, dann der Fluss, die Brücke, hinter der ich aussteigen musste; der Bus hielt, doch ich blieb sitzen. Und nun, während ich auf den Nacken vor mir schaute, erinnerte ich mich an das Zischen und den Geruch verbrannten Fleisches. Nachdem ich die über der

Kerze zum Glühen gebrachte Nadel durch ihre Haut gestoßen hatte, bäumte sie sich auf, und ein Zittern begann von den Schultern aus über ihren Rücken zu laufen, es lief in Wellen über ihren Rücken, das Gesäß, die Beine, die zur Seite gedrehten Füße, bevor es, nachdem sie sich ein letztes Mal aufgebäumt hatte, schwächer wurde, verflachte, ausklang; ihre Hände, die zur Seite gestreckt waren, schlossen sich im Krampf zur Faust und öffneten sich wieder. Natürlich, der Schmerz, aber das einzige, was über ihre Lippen kam, war eine Art Seufzen, ein tiefes Ausatmen, als sie hervorstieß: »Die Tinte.« Dass ich nun die Tinte in die Brandlöcher zu reiben hätte. Worauf ich das Tintenfass aufschraubte, den Finger eintauchte, ihn wieder herauszog und auf die bezeichnete Stelle legte, *fester*, sie keuchte, fester, dass ich fester aufdrücken solle, damit das Schwarze mit dem Verbrannten eine Verbindung eingehe, zu einem Zeichen von Dauer, einem, das sich nicht abwaschen lassen oder eines Tages, wie nie gewesen, verblassen, verschwinden würde. Oder ist das schon Teil der Deutung? Ja, so will es mir scheinen, denn tatsächlich gibt es kein einziges Wort, an das ich mich erinnern könnte, nur Gerüche, Bilder, Geräusche – ihr Nachtgeruch, von dem ich, das Gesicht im Kissen, eine Spur, einen Hauch, einen Anflug wahrzunehmen glaubte, und als ich den Kopf zur Seite drehte, sah ich im Flackerlicht, dass sie unsere Kleider vor die Tür geworfen hatte. Geworfen? Nein, sie hatte sie zusammengerollt, ineinander gedreht und, zur Verhinderung des Herausdringens jeglichen Lautes (ihre Eltern schliefen zwei Zimmer weiter), gegen den Türspalt geschoben.

Zu den Bildern gehört auch die Treppe, über die sie mich bei Anbruch des Morgens führte, gehören die Hand am Geländer, ihre nackten Füße, das Hemd über der gezeichneten Schulter, das Frühlicht auf den Baumspitzen, als wir vors Haus traten; eine Mütze aus Licht saß auf den schon herbstlich verfärbten Blättern.

Das alles gehört dazu, so wie zu den Geräuschen die Stille, auf die das Stampfen und Knacken folgte, als die Hunde durchs Unterholz brachen, zwei breitbrüstige Kraftpakete, die auf ihren Befehl hin (Zuruf? Zeichen?) im Lauf innehielten und uns beäugten, gehorsam, ja, doch widerwillig, widerwillig gehorsam, weshalb klar war, dass sie sich bei der kleinsten Unachtsamkeit auf mich stürzen würden. Ihr Fell, kurzhaarig, schimmerte dunkel, die Flanken bebten, von den helleren, über die Mäuler hängenden Lefzen troff der Geifer. Katharina beugte sich vor, ihre Hände schlossen sich um die mit kurzen Eisendornen bewehrten Lederhalsbänder, *Nun geh!*, und als ich mich in der Einfahrt umdrehte, sah ich, dass sie sich nach hinten lehnte, ihre Füße stemmten sich in die Erde (ein Träger war von der Schulter gerutscht), während die Hunde an den Halsbändern zerrten.

Alles war, merkte ich, als ich auf den Nacken, die Schultern der Ähnlichen schaute, in mein Gedächtnis eingeschrieben, auch der dunkle, abschüssige Weg durch den parkgleichen Garten, dann der Weg, ein Stück am Kanal entlang, sowie der Kanalgeruch, der dumpfe, schwarze; der Graureiher (elegante, schmale Erscheinung), schlafend auf dem Bootssteggeländer, der Schilfsaum, das Hechtwasser, ein Glucksen wie von aufsteigenden Blasen, und zwischen all den Bildern, Geräuschen, Gerüchen der Jubel über das Kennzeichen, wie nach einer bestandenen Prüfung, nein, als sei damit die Zeit der Nichtverlierbarkeit angebrochen. Ihr Dreieck zeigte mit der Spitze nach unten, meines mit dieser nach oben.

Ich ging, und gehend merkte ich, dass ich atmete, die Lungen schöpften Luft, das Blut sauste in den Ohren, und auf meinem Rücken, auf meiner Haut, am ganzen Körper war dieses Brennen. Das Gras war nass, meine Schuhe hatten dunkle Ränder, ich legte die Hand ins Gras, schob sie am Nacken unters Hemd und versuchte, an die glühende, wie ich noch nicht wusste, aber heute weiß, unerreichbare Stelle zu langen, während vor mir die Bilder auftauchten, die Bilder des Hauses, das ich bis zu dem Abend vor dieser Nacht nur von außen gesehen hatte. Das rote Backsteinhaus mit seiner Unzahl von Erkern, Balkons und Türmchen. Über der Tür, zu der ein paar Stufen hochgingen, war ein fünfzackiger Stern mit durchgezogenen Linien in die Steine gelassen, in der Mitte ein G für *gnosis* und *generatio*, Erkenntnis und Abstammung. Die Villa war zu Beginn des Jahrhunderts von den Besitzern der Ziegelei gebaut worden und hatte jahrelang leer gestanden, nun aber hatte Katharinas Familie davon Besitz genommen. Eines Tages, Ausgang des Winters, brannte Licht hinter den ewig dunklen Fenstern, und eine Woche danach war das Mädchen mit der seltsamen Aussprache in unsere Klasse gekommen.

Nachdem Katharina mich am Abend zuvor die Stufen hochgeführt hatte, waren wir in eine große Diele getreten, von der unzählige, wie ich dann sah, wiederum durch Türen miteinander verbundene Zimmer abführten. Sie hatte meine Hand genommen und war durch die erste Tür gegangen, dann durch die zweite, dritte und vierte. In allen Zimmern, durch die wir kamen, hatten die Schränke offen gestanden, und davor hatten, wie nach gerade erfolgtem Einzug (dabei lag dieser ein halbes Jahr zurück), Geschirrstapel gestanden, Wäsche- und Kleiderhaufen gelegen, und schließlich waren wir in den fünften Raum getreten, den Maschinenraum, wie Katharina ihn nannte. *Der Maschinenraum* – ein Wort, das mir zu grob erschien für die Apparate, die sich darin befanden.

Dieser Raum war bis unter die Decke getäfelt. Die Apparate standen auf schmalen Sockeln unter einem Glassturz, andere auf niedrigen Tischen, einige auf dem Boden vor den Holzkisten, in denen sie verpackt gewesen waren. Es handelte sich, wie sie mit ihrer leisen, schleppenden, jeder Silbe das gleiche Recht einräumenden Stimme erklärte, um Rechenmaschinen, die lange vor Bau der ersten Hollerithmaschine in der Lage gewesen waren, mit Hilfe von Walzen, Zahnrädern und Hebeln Aufgaben der vier Grundrechenarten – zusammenzählen, abziehen, malnehmen, teilen – zu lösen. Die älteste aus der von ihrem Vater zusammengetragenen Sammlung stammte aus dem Jahr 1709 und war von dem Italiener Poleni gebaut worden. Ein Name, der mir wieder einfiel, als ich über den Uferweg ging, und den ich bis heute nicht vergessen habe. *Poleni, Poleni.* Sie war Schweizerin, aber es war so, dass man ihrer Aussprache nicht die geringste Spur eines Akzents oder eines Dialekts anmerkte. Auffällig nur, dass sie zwischen den Wörtern, wie um sich gewisser Regeln oder Spracheigenheiten zu erinnern, kleine Pausen einlegte. *Komm!* Und danach waren wir die Treppe hochgestiegen, zu ihrem Zimmer, wo sie die Schublade aufgezogen und Feuerzeug, Nadel und Tinte herausgenommen hatte.

Der Bus fuhr unter der S-Bahn-Brücke hindurch, zur Linken lag die Schleuse, dahinter teils Schrebergärten, teils raues, durch Krieg oder Industrieumbruch, Umschichtungen, Pleiten ruiniertes Gelände, Brache, Brennnesselfelder, überwölkt von Bäumen, dann ein Gewirr von Straßen- und Autobahnschleifen, eine schwarze Totenkopffahne wehte in einem Garten. Früher Abend, Juli oder August, aber ich erinnere mich, dass das Licht schon etwas Herbstliches hatte; es war das Herbstlicht, in dem die Dinge scharfe Konturen annahmen. Die Frau griff in ihre Tasche (die Bewegung spiegelte sich im Fenster), zog einen Zettel hervor und glättete ihn mit den Händen. Der Zettel, auf den sie, als ich durchs Fenster schaute, etwas geschrieben hatte?

Der Bus verließ die Schnellstraße und bog nach der Autobahnbrücke in den Kreisel ein, der zum Flughafen führte; Endhaltestelle. Wir standen auf, die Türen öffneten sich mit einer Art Keuchen, wir stiegen aus, sie ging auf die große Drehtür zu, entschied sich dann aber für den Eingang daneben; ich folgte. In der Halle warf sie einen Blick auf die Anzeigetafel über dem Durchgang zu den Reisebüros mit den Billigangeboten, hinter dem man den unteren Teil einer Rolltreppe erkannte. Sie schaute auf die Uhr; die Zeiger zeigten kurz nach sieben. Wollte sie jemanden abholen? Hatte ihr jemand (als ich da stand und sie beobachtete) eine Ankunftszeit durchgegeben? Seit ihrem Telefonat war eine Dreiviertelstunde vergangen. Auf der Tafel brannten vier rote Lämpchen, vier Maschinen waren gelandet, zwei waren verspätet, drei wurden in der nächsten halben Stunde erwartet. Aus einem Bistro, an dem wir vorbeikamen, zog der Geruch von Kaffee herüber.

Sie ging jetzt schneller, und wieder war dieses Gleitende da, aber auch das Stille, das Katharina wie ein Kokon umgeben hatte, eine undurchdringliche Hülle, an der alle abgeprallt waren, weshalb mein Großvater auch von *der Verschlossenen* gesprochen hatte. Er sagte: Die Verschlossene. Die Abwesende. Die Dünkelhafte. Sagte? Nein, ließ aber durchblicken, dass er das dachte, wenn er im Gegensatz dazu Katharinas Freundin Rita *die Herzliche* nannte. Für die eine hatte er freundliche Worte, während er bei der Erwähnung der anderen ein bekümmertes Gesicht aufsetzte, um mir zu zeigen, dass es ihm lieber gewesen wäre, wenn ich mich zu der Herzlichen hingezogen gefühlt hätte.

Rita war die Tochter des Schuhladeninhabers aus der Hauptstraße, den jeder kannte, während Katharinas Vater kaum jemand je zu Gesicht bekommen hatte. Er schien die Stadtgesellschaft zu meiden, was in jener Zeit, in der die einzigen Ausländer, die man zu sehen bekam, die Dolomiti-Eissalon-Italiener und die mit ihren Wohnwagen gen Süden ziehenden Holländer waren, zu allerlei Vermutungen Anlass gegeben hatte, über Ausländer im Allgemeinen, über diesen aber im Besonderen – Vermutungen, die in ihm bald einen pensionierten Diplomaten sahen, bald einen emeritierten Professor, bald einen General, bald einen Betrüger, der sein aus dunklen Geschäften stammendes Vermögen bei uns vor der Schweizer Polizei in Sicherheit brachte. Das alles erzählte man, während er mich einzig durch sein Alter in Erstaunen setzte.

Katharina war siebzehn, er aber musste die neunzig überschritten haben, er hätte ihr Urgroßvater sein können, wohingegen man seine Frau mit Leichtigkeit für Katharinas Schwester gehalten hätte. Der gleiche Gesichtsschnitt, die gleiche Haarfarbe, der gleiche Wuchs, der gleiche fließende Gang. Im Frühjahr sah man sie manchmal, in einer Illustrierten blätternd, auf der Terrasse am Wasserturm, und als es zum Sommer hin ging, im Bahnhofsrestaurant, wo sie nichts zu essen bestellte, sondern einen Cognac und, nachdem sie eine Weile über dem Glas gebrütet hatte, ein Telefon verlangte. Am Tisch? Ja. Aber es gab keine Tischtelefone, und so war sie jedes Mal nach einem kurzen Disput aufgestanden und zu der Nische zwischen Theke und Toilette gegangen, wo man sie – erzählten die Leute – auf Französisch oder Spanisch – andere sagten: Portugiesisch – in die Muschel sprechen hörte.

Seltsam? Vielleicht. Aber nichts, was mich störte. Denn anders als die von meinem Großvater favorisierte Tochter des Schuhladeninhabers war die mit Argwohn beäugte Tochter der ins Telefon sprechenden Dame von jener stillen Schönheit (Ebenmaß von Körper, Gliedern und Gesichtszügen), die auch auf weniger Begünstigte ihre Wirkung hatte. Wie anders ließe sich erklären, dass Rita ihr wie ein Hündchen folgte? Auf dem Schulhof wich sie nicht von ihrer Seite, und am Nachmittag sah man sie, bis in den Abend hinein, am Zaun der Ziegelei-Villa stehen, wo sie sehnsüchtig zu den halb von Bäumen verdeckten Fenstern hinüberschaute, nur von den durch den

Garten patrouillierenden Hunden gehindert, das Grundstück zu betreten, um zu ihrer Freundin vorzudringen.

Sie litt an einer Fehlstellung der Beine, die bewirkte, dass ihr Körper bei jedem Schritt wie ein in Sturm geratenes Boot hin und her geworfen wurde. Das Gehen bereitete ihr Mühe, und doch schwankte sie jeden Morgen quer durch die Stadt, um Katharina zu Hause abzuholen. Sie wartete vor der Auffahrt, bis sie heraustrat, und schwankte dann neben ihr her zur Schule, für keinen anderen Lohn als den, sich neben ihr zeigen zu dürfen. Sie redete mit ihrer zischelnden Stimme auf sie ein, und wenn ich dazukam, verstummte sie und warf mir wütende Blicke zu. Sie wollte mit ihrer Herrin allein sein, weshalb sie in jedem, der ihre Zweisamkeit störte, einen Feind sah oder zu sehen meinte. Die ihr von meinem Großvater nachgesagte Herzlichkeit war, wenn überhaupt vorhanden, unter ihrer äffischen Liebe begraben worden – während es den Anschein hatte, als ob der Gegenstand ihrer Liebe nichts davon merkte.

Ritas Werben prallte an Katharina ab. Sie stieß sie weder zurück, noch kam sie ihr mit einem Wort, einem Blick, einer Geste entgegen. Sie blieb bei sich, in immer gleichem Abstand zu *allem,* was Rita nicht entmutigte, sondern zu immer neuen Liebesbeweisen anspornte. Einmal hörte ich, wie sie ihrer Herrin ein paar nicht für meine Ohren bestimmte Worte zuzischte, die Einladung zu einem Rockkonzert, für das sie zwei der schwer erhältlichen Karten erstanden hatte; ein anderes Mal vernahm ich ein Rascheln, und als ich hinüberschaute, sah ich, dass sie einen kostbaren Füller aus der Tasche gezogen hatte, er lag, noch in der Schachtel, wie eine Opfergabe auf ihrer flachen, durch ihre unglückselige Behinderung schwankenden Hand. Beides, Karte wie Füller, wurde unter kaum merklichem Kopfschütteln zurückgewiesen.

Auf dem letzten Stück stieg die Schulstraße an. Katharina ging in der Mitte, Rita links, schwankend, zischelnd, raschelnd, ich rechts, eingeschlossen in meinen ungelenken Körper, alles an ihm schien sperrig, fahrig, verstolpert, während Katharina zwischen uns dahinglitt, still, gleichmäßig freundlich.

Die Ähnliche bog in den Gang ein, der zu den Flugsteigen führte. Rechts lag, etwas tiefer, der Parkplatz. Die Sonne stand schräg über dem Dach des im Rund errichteten Gebäudes, durch die Glasfront blinkten die Autodächer herüber. Links die Schalter, Abflug und Ankunft nebeneinander. Hier war es voller als in der Halle; Leute mit Taschen und Koffern, die uns entgegenkamen; Gepäckwagen; herumspringende Kinder. Doch dieser Kokon schien die Wirkung eines Keils zu haben, der die Menge teilte. Die Leute wichen zur Seite, sie öffneten eine Gasse, durch die sie eilte, während ich um die Leute, die Wagen, die Kinder herumkurven musste, dauernd stand mir jemand im Weg, mein Weg verlief im Zickzack, während sie ihre Bahn zog, wie auf Rollen.

Vorm Schalter der Air France verdichtete sich die Menge, eine dichtgedrängte Ansammlung von Leuten. Vorm Schalter? Nein, an der Absperrung vor den Milchglasscheiben, vor der Tür, aus der die Reisenden treten würden; eine Frau hielt eine Rose, deren Stiel mit Silberpapier umwickelt war, ein Kind saß in einer Traube von Luftballons auf der Schulter eines Mannes. Ein schwarzer Hund, der einen Maulkorb trug und an einer kurzen Leine gehalten wurde, ließ ein dunkles Grollen hören. Und im selben Moment sah ich mich wieder an jenem Morgen auf dem Uferweg, die Hand unterm Hemd – wie ich versuchte, sie auf die brennende Stelle zu legen.

Der Uferweg, der Bootssteg, der Schilfsaum, das Hechtwasser, und plötzlich, während ich da stand, war das Bellen zu hören gewesen, das wütende Bellen der Hunde, die sich – ich wusste es sofort – von Katharina losgerissen hatten, die Auffahrt heruntergestürmt waren und sich auf meine Fährte gesetzt hatten. Das Bellen flog durch die morgenstillen Straßen der Stadt, es kam näher, und als ich glaubte, dass die Hunde gleich auf den Uferweg biegen würden, kletterte ich über einen Zaun, um im Innern der Gärten weiterzugehen. Himbeerhecken, Stachelbeersträucher, grüne Knollen vorzeitig ausgebuddelter Kartoffeln, verkrüppelte Pflaumen- und Pfirsichbäume, in denen einzelne Früchte hingen, ein halb volles

Regenfass, der Widerschein der eben aufgegangenen, sich in den Fensterscheiben eines niedrigen Wohnhauses spiegelnden Sonne.

Garten grenzte an Garten, ich kletterte über mehrere Zäune, um schließlich in den Garten meines Großvaters zu gelangen. Die ganze Zeit über war das Bellen der Hunde zu hören, ganz nah, als kämen sie über den Uferweg, dann weiter weg, als liefen sie noch die Straße hinab, aber die ganze Zeit über war es da, um erst in dem Moment, in dem ich ins Haus trat, mit einem Schlag – als hätte jemand einen Schalter umgelegt – zu verstummen.

Mein Großvater schlief noch. Die Erinnerung sagt, dass ich ungesehen die Treppe hochkam in mein Zimmer, ins Bett und dann lange wach gelegen habe. Die Stelle am Rücken brannte, und wenn ich die Augen schloss, sah ich Katharina auf dem Bett, ihren Rücken, und dann, wie sie da stand, die Füße in die Erde gestemmt, ihre Schulter, von der ein Träger gerutscht war, ihre nackten Arme, die Hunde, die an den Halsbändern zerrten. *Nun geh!* Ich hörte wieder, wie sie sagte: Nun geh! Wobei sie auch diesmal – ich erinnerte mich – zwischen den Wörtern eine winzige Pause machte. Und war, als ich mich in der Einfahrt noch einmal umgedreht hatte, nicht eine Bewegung am Fenster zu sehen gewesen? Ja, jetzt, als ich da lag, war ich sicher, dass ich im Erkerfenster über der Tür das Gesicht ihrer Mutter gesehen hatte. Unten am Fuß der Treppe das Mädchen mit den Hunden und darüber im ersten Stock das Gesicht ihrer Mutter, die ihr so ähnlich sah, dass ich für einen Moment geglaubt hatte, zwei Katharinen vor mir zu haben.

Die Ähnliche (oder soll ich sagen: die ihr Gleichende?) war stehen geblieben, sie stand zwischen den Leuten und studierte die Anzeigetafel. Die Maschine aus Lyon hatte zehn Minuten Verspätung. Sie glitt zwischen den Leuten hindurch und setzte sich vor der Glasfront auf die Abdeckung der Heizung. Sie stützte die Hände auf, schaute sich um, und als sich unsere Blicke trafen, glaubte ich etwas Ironisches zu bemerken, in ihrem Blick lag etwas Ironisches, als hätte sie mich erkannt – der aus dem Reisebüro – oder als wüsste sie, dass ich ihr folgte, ein ironisches Aufblitzen, nein, kein Aufblitzen, sondern ein langes ironisches Schauen, bevor sie den Kopf zur Seite drehte, mit der gleichen Bewegung wie Katharina an jenem Morgen, an dem sie gesagt hatte: »Nun geh!«

Zwischen ihren Augen hatte eine kleine Falte gestanden, und ihre Pupillen waren kaum merklich verengt gewesen – ironischer Blick, keine Frage, den ich damals für Spott gehalten hatte, Spott über meine Tölpelhaftigkeit, meine Unerfahrenheit, meine Furcht vor den Hunden, während ich heute etwas anderes glaube. Heute denke ich, dass sie in diesem Moment schon wusste, wie der begonnene Tag zu Ende gehen würde. Sie wusste, dass ich die Einfahrt runterlaufen, mich unten noch einmal umdrehen und das Gesicht ihrer Mutter sehen würde, dass ich nach dem Weg durch die Gärten lange wach liegen, an sie denken, dann doch einschlafen und am Sonntagmittag von Ritas Stimme geweckt werden würde. Sie wusste es schon. Sie sah es voraus. Und ich glaube, dass es zu ihrem Plan gehörte, wie es zu ihrem Plan gehört hatte, am Abend zuvor, am Samstagabend, mit mir an den Kanal zu gehen, in der beginnenden Dämmerung, um an der Uferböschung Platz zu nehmen, alles wortlos, begleitet aber von verschiedenen Zärtlichkeitsbeweisen – Halten und Drücken der Hände, umstandslos gewährtes und erwidertes Umarmen, Küssen mit geöffnetem Mund und hin und her schnellender Zunge, Ertasten der verschiedenen Körperteile (sie trug ein dünnes Kleid, unter dem meine über ihren Rücken, ihr Gesäß, ihre Beine fahrende Hand jeden Muskel, jede Sehne spürte) – zuerst unter den Uferweiden, dann, auf dem Weg durch die Stadt, auch in diversen Hauseingängen, um mich schließlich die Einfahrt hochzuführen, durch die Räume der Villa – *Poleni, Poleni* –, und danach die Treppe hochzusteigen.

Ich lehnte gegenüber dem Ausgang der Air France mit dem Rücken an einem der grauen, in den Gang hineinragenden Bürocontainer, als plötzlich eine Bewegung durch die Leute ging, sie rückten vor, und als ich zur Anzeigetafel schaute, sah ich, dass die Maschine gelandet war, das Lämpchen leuchtete. Die Ähnliche (oder ihr

Gleichende) stand auf, blieb aber an ihrem Platz vor der Glasfront, auch als die Reisenden durch die Schiebetür kamen. Mein Blick wanderte zwischen ihr und der Tür hin und her, ihr Gesicht war ganz still, endlich löste sie sich von der Stelle und glitt durch die Menge, jetzt würde ich sehen, auf wen sie gewartet hatte – doch anstatt auf jemanden zuzugehen, wandte sie sich zur Halle, und als wir in der Halle waren, merkte ich, dass sie jemandem folgte. Ich folgte ihr, und sie folgte einem Mann, den ich nur von hinten sehen konnte. Er trug ein grünes Polohemd und eine helle Hose, über seiner Schulter hing eine Reisetasche, sein Nacken war gebräunt, sein Haar kurz geschnitten. Draußen blickte er sich um und ging dann zu den Taxis hinüber, der Fahrer stieg aus, nahm ihm die Tasche ab und stellte sie in den Kofferraum, während der Mann sich auf die Rückbank setzte.

Sie war hinter ihm hergegangen, aber neben der Drehtür stehen geblieben. Ich stand innen, hinter der Scheibe, und beobachtete, wie sie zum Taxi schaute. Inzwischen war auch der Fahrer eingestiegen. Der Wagen fuhr an, und als uns der Mann auf der Rückbank das Gesicht zuwandte, sah ich mich, es war mein Gesicht. Ich sah, wie ich im Taxi davonfuhr, und rannte hinaus, doch da war es schon in die Schleife zur Schnellstraße eingebogen. Ich stand hinter ihr, schaute dem Wagen nach, und da drehte sie sich um und fragte, ob ich sie begleiten würde. Nein, ich will versuchen, ihre Worte genau wiederzugeben. Da sie mir so wichtig erschienen, habe ich sie immer wieder hin und her gewendet. Als wüsste sie, dass ich da stand, drehte sie sich um und sagte: »Da wir uns kennen, möchte ich fragen, ob Sie mir Gesellschaft leisten würden.« Von *begleiten* war nicht die Rede. *Da wir uns kennen*. Sagte man das zu jemandem, den man nur einmal gesehen hatte? *Möchte ich fragen*. Wobei ihre Stimme, anders als im Reisebüro, einen schleppenden Tonfall hatte.

»Jetzt?«

»Wenn es Ihnen nichts ausmacht.«

Ja, das war dieses schleppende, jeder Silbe dasselbe Recht einräumende Reden. Ich schaute auf die Stelle an ihrer Brust, sie hatte das Namensschild abgenommen, aber ich sah die Einstiche; wo das Schild gesessen hatte, waren auf der Bluse zwei winzige Punkte, die von der Nadel herrührten. Sie wandte sich wieder zur Halle, ich lief neben ihr her, so nah, dass ich einen Hauch ihres Parfüms spüren konnte, bis er vom Kaffeegeruch zugedeckt wurde. Der vorherrschende Geruch der Halle war der von Kaffee, wie die Halle überhaupt weniger der eines Flughafens glich als einer Mall, in der sich, unterbrochen von Bistros und Cafés, Laden an Laden reihte.

Sie ging nicht schnell, und doch merkte ich, dass ich Mühe hatte, mit ihr Schritt zu halten. Meine Beine waren schwer. Es war, als sei die alte Unbeholfenheit zurückgekehrt, das Ungelenke, Verstolperte, weshalb ich meine ganze Aufmerksamkeit darauf richtete, nicht zu stürzen. Sie steuerte auf die Stehtische zu, gegenüber der großen Anzeigetafel, eilte aber daran vorbei ins Café und glitt auf eines der Sofas. Ich fiel auf den Stuhl ihr gegenüber, schlug die Beine übereinander, um es sofort zu bereuen (die Hose kniff im Schritt), behielt die Haltung aber bei, aus Furcht, ich könnte den Tisch umwerfen, wenn ich die Beine nebeneinander stellte.

Wir schwiegen. Der Kellner kam. Ich bestellte einen Milchkaffee, sie Wasser. Beides wurde gebracht. Die Flasche war blau und hatte die Form eines Kegels. Neben der Kaffeetasse lag ein Keks, in Zellophan eingeschweißt, und als ich es aufriss, fragte sie, ob ich das kenne. – Ihre Stimme: dunkel, schleppend; ihre Haltung: gerade, doch ungezwungen; ihr Gesicht: still, was nicht reglos meint, sondern in Gedanken versunken; ihre Bewegungen: so unauffällig, dass man sie erst mitbekam, wenn sie schon ausgeführt waren. Kein einziges Mal hörte ich, wie sie das Glas abstellte, während meine Tasse bei jedem Abstellen gegen den Teller klirrte. – Ob ich das kenne. – Was? – Das Brennen. Plötzlich, nach Jahren, zwanghaft an jemanden denken; sich sein heutiges Aussehen vorstellen, den Wunsch, ihn ein paar Dinge zu fragen, über die man damals nicht sprechen konnte, und in dem Moment, in dem man es könnte, sich nicht zu erkennen geben. Ihr Blick ging hinaus in die Halle.

Hier bin ich. Ich wollte sagen: Hier bin ich, als mir einfiel, dass sie den anderen meinte, und an ihn denkend, merkte ich, wie ich von einem Schwindel befallen wurde. Mein Gesicht hinter der Scheibe des Taxis, und zugleich sah ich Katharina mir gegenüber, dieselbe. Das sei es, was sie mir habe mitteilen wollen, was ihr umso leichter gefallen sei, als sie wisse, dass ich alles vergessen würde, diese Begegnung, ihre Worte, schon morgen würde ich alles vergessen haben. Und nahm ihre Tasche. – Ob ich sie wiedersehen könne. (Eilig, sie war schon aufgestanden) – Gewiss. – Wo? – Ob ich das Lokal in der Schlossstraße kenne. Das Gartenlokal. – Aber ja. – Wie gut. Dann bis heute Abend. – Und war, während ich dem Kellner winkte, zwischen den Tischen hindurchgegangen.

Aber sie kam nicht.

Im übrigen war es ein Schwindel, der stundenlang anhielt, und zu dem sich, als ich unter dem Blätterdach des Gartenlokals saß, ein starkes Brennen der Schulter gesellte. Schon morgen. Ich schrieb schnell, ich notierte mir alles, da ich nicht daran zweifelte, dass sie das nicht nur so dahingesagt hatte, *schon morgen*, genauso wenig wie ich daran zweifelte, dass sie *alles* vorausgesehen hatte, auch das mit den Hunden. Und dass Rita am Sonntagmittag zu meinem Fenster hochrufen würde.

Ich schlief noch. Ihre Stimme schrie wie ein Sägeblatt, das sich im Holz festgefressen hatte, und dazwischen die Stimme meines Großvaters, der sie zu beruhigen suchte. Einen Moment Stille, dann Ritas Schrillen von neuem, sie war ums Haus herumgegangen und schrie herauf, dass ich schuldig sei, schuldig, schuldig daran, dass die Hunde Katharina in Stücke gerissen hätten. Das war es, was sie vorausgesehen hatte, wie Rita von ihr und den Hunden berichten würden. Und wie ich aus dem Bett springen und zur Ziegelei-Villa rennen würde.

Rita schwankte neben mir her, während sie wie eine Gebetsmühle wiederholte, was sie von einem Mann erfahren hatte. Als sie wie an jedem Sonntag ihren Platz am Zaun beziehen wollte, war ein Mann zwischen den Büschen hervorgetreten und hatte erzählt, er hätte am Morgen einen Jungen beobachtet, der die Auffahrt heruntergekommen wäre, und als er in die Auffahrt hineingeschaut habe, hätte er gesehen, wie zwei Hunde ein Mädchen in Stücke gerissen hätten. Das wiederholte sie den ganzen Weg über. Doch als ich fragte, wer der Mann sei und was er zu ihrer Rettung unternommen habe, wusste sie keine Antwort. Ob sie den Mann kenne. Nein, aber er sei sehr alt gewesen. Und da ahnte ich, dass sich die Sache anders verhielt, als ich gefürchtet hatte und Rita annahm. (Die Bestätigung erhielt ich am Abend. Als ich ins Krankenhaus ging, sagte der Arzt, dem ich die Sache erzählte: »Junger Freund, wenn jemand tödliche Bissverletzungen erlitten hat, wird er schon aus Gründen, die mit der polizeilichen Untersuchung zusammenhängen, bei uns eingeliefert. Da das aber nicht geschehen ist, rate ich Ihnen, ganz ruhig nach Hause zu gehen.«)

Tatsache ist, dass die Hunde in der Auffahrt lagen. Als wir die Auffahrt hochkamen, sahen wir sie in einer getrockneten Blutpfütze liegen, über der ein Fliegenschwarm schwirrte. Und dass man sich fragen musste, wer sie erschossen hatte, denn dass sie erschossen worden waren, sah man an den kreisrunden Löchern auf ihren Stirnen. Sie lagen nebeneinander, ungefähr da, wo Katharina sie festgehalten hatte, also nicht weit von der Tür, unter dem fünfzackigen Stern mit dem G in der Mitte.

Die Tür war nur angelehnt. Rita rief zu den Fenstern hinauf, und da sie keine Antwort erhielt, traten wir ein, und als wir durch die Zimmer gingen, sahen wir, dass die Möbel abtransportiert waren. Der getäfelte Raum war leer, die Rechenmaschinen, die auf Podesten, Tischen, dem Boden gestanden hatten, waren mitsamt den Kisten verschwunden, ebenso die Geschirrstapel, Kleiderhaufen und Schränke. Es war nichts zurückgeblieben. Während ich schlief, waren die Möbelwagen gekommen. Oder womit immer derlei Leute ihre Umzüge machen.

Als ich da saß, unter dem Blätterdach des Gartenlokals, und zu schreiben begann, hatte ich meine Uhr abgenommen und sie neben den Block gelegt, um die Zeiger im Auge zu behalten, *schon morgen, morgen*, und als es zwölf geworden war, habe ich den Stift eingesteckt und den

Block zugeschlagen. Von nun an würde ich mich nur noch mit den Worten, die ich geschrieben hatte, erinnern können, während alles andere, eben noch Gegenwärtige dem Vergessen ausgeliefert wäre. Ich saß noch eine Weile da, stand dann auf und ging hinaus auf die Straße.

Es war gegen halb eins. Zwischen den Alleebäumen sah ich das Schloss, das nachts angestrahlt wurde, von Weitem wirkte es wie eine Kulisse, um erst beim Herankommen die Gestalt eines realen Gebäudes anzunehmen, doch in dieser Nacht blieb das Kulissenhafte, auch als ich herankam, erhalten. Meine Schulter brannte. In meinem Block stand *Ob ich das kenne*. Ich kannte alles. Es waren ja meine Fragen, die sie gestellt hatte, und doch hatte ich bloß wie ein Stück Holz herumgesessen, und als sie davonglitt, war ich nicht etwa aufgestanden und hinter ihr hergerannt, um sie festzuhalten, sondern sitzen geblieben. Vor dem Pavillon standen Kübel mit Palmen und Agaven, die in dem Kulissenlicht künstliche Schatten warfen, und auf einmal fiel mir die Meldung ein, die ich ein paar Wochen nach ihrem Verschwinden gelesen hatte. Als ich aus der Schule kam, lag die Zeitung auf dem Tisch. Mein Großvater hatte sie so aufgeschlagen, dass ich sie nicht übersehen konnte.

Bei Christie's in London war es bei einer Versteigerung zu einem absurden Duell zwischen zwei Bietern gekommen. Der eine, der als ein mysteriöser Mann beschrieben wurde, hatte im Saal gesessen, während der andere, ein Sammler aus Zürich, sein Gebot durch das Telefon abgegeben hatte. Innerhalb weniger Minuten hatten sie den Preis für eine von dem Deutschen Johann Christoph Schuster 1822 entwickelte Rechenmaschine, deren Wert von Experten auf dreißigtausend Pfund geschätzt wurde, in die astronomische Höhe von 20 Millionen getrieben. Das Verhalten der beiden, von denen keiner nachgeben wollte, war Beobachtern völlig rätselhaft erschienen. Und am Ende hatte der Mann in Zürich den Zuschlag erhalten.

Als ich so weit gelesen hatte, glaubte ich zu wissen, um wen es sich handelte, kein Zweifel, dachte ich, ihr Vater. Sie waren wieder in die Schweiz gezogen, doch als ich weiterlas, sah ich, dass das nicht stimmte. Nachdem der Mann in Zürich den Zuschlag erhalten hatte, hatte der andere sofort den Saal verlassen, doch am selben Abend war bei Christie's eine junge, gereizt wirkende Dame erschienen, die im Auftrag des unterlegenen Bieters eine Karte abgegeben hatte. Auf der einen Seite stand eine Adresse in Cornwall, auf der anderen standen die Worte: Für alle Fälle.

Zunächst hatten die Leute bei Christie's nicht gewusst, was das zu bedeuten habe. Doch zwei Tage danach hatten sie einen verzweifelten Anruf von dem Sammler aus Zürich erhalten, in dem er bekannte, dass es ihm unmöglich sei, die Summe von 20 Millionen Pfund aufzubringen, weshalb er keinen anderen Ausweg sehe, als sich an den Unbekannten zu wenden, der ihn durch seine Unnachgiebigkeit in den Ruin getrieben habe, in der Hoffnung, dass dieser ihm aus der Situation heraushelfen könne. Für die unter dem zuletzt genannten Gebot liegenden Summe sei er bereit, ihm nicht nur die Maschine von Schuster zu überlassen, sondern seine ganze ungefähr zweiundsechzig der berühmtesten Rechenmaschinen umfassende Sammlung.

Also Cornwall, nicht Zürich. Sie waren nach England gezogen. Tagelang sah ich sie durch eine sanft gewellte Hügellandschaft gleiten, auf ein im Tudorstil errichtetes Haus zu, in das gerade die Kisten mit den Rechenmaschinen getragen wurden, während die im Zwinger eingesperrten Hunde, andere, ihr wütendes Bellen hören ließen. Sie würde ein lupenreines Englisch sprechen, wenn auch mit schleppendem Tonfall, und irgendwann meinem Doppelgänger in ihrem Zimmer Feuerzeug, Kerze, Nadel und Tinte zeigen, während die Hunde schon durch den Garten liefen.

Auf der Brücke hinter dem Pavillon blieb ich stehen, weil ich ein Geräusch zu hören glaubte. Die Lichter, die sich wie eine Girlande über dem Brückenbogen spannten, waren gelöscht, und es war kaum noch Verkehr auf der Straße. Ja, ein Geräusch, das leise Wummern eines größeren Schiffes, das weder näher kam noch sich entfernte, sondern flussauf festgemacht hatte. Zurück in der Wohnung, trat ich ans Fenster, und im selben Moment sah ich ein Schiff in voller Fahrt vorüberrauschen. Ein Schiff der S-Klasse, das hier, in den engen und flachen Gewässern, eigentlich nicht fahren durfte. Das Führerhaus lag im Dunkeln, aber die Säle, Kabinen und Gänge waren taghell erleuchtet, wie für ein Fest, bei dem die Gäste ausgeblieben waren; auf dem Schiff war kein einziger Mensch zu sehen. Es glitt vorbei, und dann las ich am Heck den Namen, *Katharina*, worauf ich den Block noch mal aufgeklappt und die Beobachtung nachgetragen habe.

7
NULL VIERZIG

Durch den Garten ziehen sich stündlich verbreiternde Rinnsale, die an den Äckern entlanglaufenden Gräben sind über das Stadium der Bäche hinaus, in die sie sich kurzzeitig verwandelt hatten, und haben sich zu ziellosen Flüssen entwickelt, die sich den (ordentlich) in den Karten verzeichneten anzuschließen suchen oder auf eigene Rechnung dem Meer zuströmen. Ich bin von Flüssen umgeben, als seien mir die, vor denen ich Reißaus nahm, nachgekommen, wie dem Mann, dem die Wüste auf Schritt und Tritt folgte, wo er hintrat, verdorrte das Gras, während bei mir die Flüsse zu sprudeln beginnen. Der Habicht im Apfelbaum lässt die Flügel hängen, und die Katze hockt, wenn sie überhaupt vor die Tür geht, missmutig unter dem Vordach. Die einzigen, die sich wohl fühlen, sind die Schnecken, die sich so rasant vermehren und so fette Exemplare hervorbringen, wie man es nie für möglich gehalten hätte, beinahe handtellergroß kriechen sie, ihre sich kreuzenden Quecksilberspuren hinterlassend, über die mit Wasser getränkten Wege und Wände, und wenn man die Tür nicht sofort hinter sich schließt, sitzen schon drei auf der Schwelle, um ins Haus einzudringen, in dem alles Stoffliche längst einen Muffgeruch angenommen hat, die Kleider sind klamm, und das Holz scheint zu faulen, das Feuchte ist in jede Ritze gedrungen, und wenn ich den Laptop einschalte, ist als erstes etwas Schraffiertes zu erkennen, Regenstriche vor tiefem Nachtblau, die von rechts oben nach links unten treiben, Niederschlag auch in der kleinen elektronischen Kiste, wie zum Zeichen, dass wir uns in einer Phase weltweiter Güsse befinden; wo immer ich mich einklinke, um in der Welt nach dem Rechten zu sehen, scheint das Gestrichelte auf, um erst danach auf *Nachricht senden/empfangen* zu schalten.

Null vierzig. Was ist das? Maßangabe? Jahreszahl? Uhrzeit? Seit zwei Tagen empfange ich, sobald die Regenschraffur auf dem Bildschirm verblasst ist, die Nachricht *Null vierzig*, anonym, ohne Kennung, ein Namen- und Kennungsloser teilt mir *Null vierzig* mit. Doch zu welchem Zweck lässt er im Dunkeln. Wird der Regen vierzig Tage lang fallen? Wird das Wasser um diese Größe (doch in welcher Maßeinheit?) steigen? Ist es ein Hinweis, eine Warnung, ein Versprechen? Kündigt mir jemand für null Uhr vierzig seinen Besuch an? Oder wird jemand um null Uhr vierzig in einem Gasthaus sitzen und darauf warten, dass ich erscheine? Oder saß jemand da, ohne dass ich erschien? Dient die Nachricht der Erinnerung an mein Versäumnis? Ist es nicht die Zeit, zu der ich nachts noch einmal über die Asphaltwege gehe?

Keine Bahnlinie weit und breit? Stimmt. Aber einmal vor vielen Jahren hat es eine gegeben. Nicht für Reisende oder Reisewillige, sondern für die im ersten Viertel des letzten Jahrhunderts aus der Erde gebrochenen, nach Abtransport verlangenden Kalisalze, für die zwischen (dorfnaher) Grube und nächstem Anschluss ans Streckennetz ein Damm aufgeschüttet wurde, der schnurgerade durch die Felder führte und auf dem, nachdem auch die Schwellen und Schienen verlegt waren, von einer Arbeitslok gezogene Kipploren rollten, deren Räderschlagen, Eisen an Eisen, im Umkreis vieler Kilometer vernommen wurde, Tag und Nacht, Sommer und Winter, bis die Vorräte unter der Erde erschöpft waren und es wieder verstummte. Die Kali-Gesellschaft zog ihre Ingenieure und Techniker ab, und die vor Ort rekrutierten, zu Bergarbeitern gemodelten Söhne der Bauern gingen zurück auf die Felder.

Lange her, aber die Erinnerung an die glorreichen Jahre des Fortschritts und Wohlstands ist erhalten geblieben, weshalb die Leute den nach Abbau der nutzlos gewordenen Gleise zur Chaussee mutierten Bahnweg noch immer den Kalidamm nennen. Die über den Schächten errichteten Gebäude sind niedergesunken und mit Krüppelwald und Gestrüpp überwuchert; zerbröckelnde Mauerreste, verrostetes Drahtgeflecht und Eisengestänge ragen aus hohen, jetzt vom Regen niedergewalzten Gräsern, zwischen denen sich jäh (nicht vorhersehbar wegen der überwachsenen Ränder) unauslotbare Löcher auftun, die nach unten führen. Und inmitten dieses Überwucherten, zurück in die Erde Gesunkenen liegt ein kreisrunder See wie ein aufgeschlagenes, in den Himmel blickendes Auge, Folge eines Einbruchs der Schächte. Noch heute, achtzig Jahre danach, hocken zwei haushohe Hügel aus purem Kali unweit des Damms, die im trockenen Zustand kilimandscharoweiß leuchten, jetzt aber mausgrau bis schwarz Wetter und Stunde anzeigen.

Meine Nachtwanderwege sind überflutet, deshalb lenke ich meine Schritte zur anderen Seite, weg von den Asphaltwegen, vorbei an dem aufgegebenen Gasthaus, an Hecken und Zäunen, bis ein Stück hinter dem Krüppelwald die Kalikegel auftauchen, eine gut gewässerte Wiese, dann das Asphaltband, an dem entlang sich niedrige, vom Dauerwind schief gewehte Bäume ziehen, hier rollten die Loren, jetzt treibt der Regen, auf dieser Dorfseite gleichen die Felder Seen. Voraus ein Licht, das nach links hin über das Wasser leuchtet. Offenbar hat das Dorf Leute ausgeschickt, die mit Handlampen die höher gelegene Straße abgehen, die letzte Verbindung nach außen.

Das verwaschene Licht schwankt übers Wasser und wird sogleich wieder ausgeschaltet. Ein Ruf tönt herüber, Vogelruf eher als der von Menschen, ein ungewiss über dem Damm schwebendes Pfeifen. Es fliegt über meinen Kopf, und als es verklungen ist, höre ich jemanden neben mir, so nah, dass ich ihn berühren zu können meine. Ist da jemand? Einer der Männer, die ausgeschickt wurden, um Wache zu halten? Ich höre seine Schritte, ein Klappen und Schlurfen, und drehe mich zur Seite, aber jetzt sind in dieser schwarzen, vom Wasser gesättigten Luft nicht einmal mehr die windschief gegen den Himmel stehenden Straßenrandbäume zu erkennen, es ist, als hätte mir jemand eine Kapuze über die Augen gezogen.

Ich halte mich, glaube ich, in der Straßenmitte, ja, da ist jemand, und strecke die Hand aus, aber meine Hand fasst ins Leere, und auf einmal, als ich stehen bleibe, merke ich, es war der Nachhall meiner Schritte, denn auf einmal ist das Klappen und Schlurfen verschwunden. Oder ist der andere ebenfalls stehen geblieben? Ich halte den Atem an, lausche. Nein, niemand. Und jetzt ist nur noch das Rauschen des Regens zu hören, es rauscht unaufhörlich herunter, wie in jener Nacht, in der ich – Anfang der Achtziger im südöstlichsten Zipfel von Polen – die Treppe zum Bahndamm hochstürmte.

War es um null Uhr vierzig? Jedenfalls nach Mitternacht, denn um Mitternacht habe ich noch in dem Lokal, in dem wir verabredet waren, gesessen und die Uhr über der Tür im Auge behalten, gegen die Fenster prasselte der Regen, und auf der Straße war das Reifensingen und -sirren der Laster, die das Wasser gegen die Hauswand warfen, und jedes Mal blickte das Mädchen hinter der Theke (das, glaube ich, Gläser abwusch) mit einem Ausdruck des Vorwurfs zu mir herüber: Soll er doch gehen! Ich will schließen. Wann geht er denn? Aber ich konnte nicht, ich musste ja warten. Wenn ich gegangen wäre, hätten wir uns womöglich verfehlt, und wenn wir uns verfehlt hätten – wie hätte die Frau, die mitfahren wollte, an den Wachen vorbeikommen sollen? Auch wenn man sie nicht sah, waren sie doch da, reglos lehnten sie an einer Wand der Baracke, rauchend, die Zigarettenglut mit der Hand abschirmend, einen scharfen Blick auf das Tor und den Schlagbaum. Und selbst wenn es ihr gelungen wäre, sie zu täuschen, hätte sie in diesem Labyrinth sich verzweigender Kanäle, sich wiederholender Schuppen, Silos und Kohlehalden die Liegestelle doch nie und nimmer gefunden, nicht in dieser Dunkelheit, bei diesem Regen.

»Um elf. Um elf im Gasthaus.«

Nein, hier war der Ort, ich musste warten. Wenn sie um elf gekommen wäre, hätten wir um halb zwölf auslaufen können. Ich rechnete mit einem Fußmarsch von zwanzig Minuten, das heißt, zwanzig Minuten zum Tor, aber sie hatte ja keinen Passierschein, weshalb es nicht ratsam war, sich in der Nähe des Tores zu zeigen, am Zaun zog sich eine Straße entlang, neben dieser ein schmaler Waldstreifen; der Zaun war taghell erleuchtet, aber weiter oben war einer der Scheinwerfer ausgefallen, dort, an dieser Stelle. Wir müssten neben der Straße her durch den knackenden, raschelnden Wald gehen, und wenn wir die dunkle Stelle erreichten, die Straße überqueren, dann

– vielleicht – könnte ich ein Loch in den Maschendraht schneiden. Um elf. Aber elf war lange vorbei, auch zwölf. Spätestens um eins würden wir, da der Zoll schon an Bord war und die Ladung verplombt hatte, ablegen müssen.

Ja, jetzt sehe ich wieder die Uhr, die beim Vorrücken zitternden Zeiger und höre die Gläser, die das Mädchen beim Hinstellen – Müdigkeit? Absicht? – so gegeneinander stieß, dass es jedes Mal klirrte. Endlich, in das Klirren hinein, ging die Tür, ich sprang auf und setzte mich wieder, denn nicht sie war es, die sich durch den als Windschutz vor der Tür angebrachten Vorhang drängte, sondern ein Mann, mittelgroß, mit langen, vom Regen triefenden Haaren. Er trug eine Joppe wie ich (das heißt, meine hing natürlich über der Lehne) und stapfte so fest mit dem Fuß auf, dass die Tropfen wie aus dem Fell eines sich schüttelnden Hundes nach allen Seiten hin wegsprangen.

Nachdem er sich umgeschaut hatte, kam er, eine Wasserspur hinter sich herziehend, herüber, öffnete den obersten Knopf seiner Joppe und nannte meinen Namen. Eine Kontrolle? Nein. Es war nicht mein richtiger Name, seltsamerweise sprach er mich mit einem Namen an, der zu meiner Kindheit gehörte, ein Spitzname, den mein Großvater erfunden hatte und den hier – in diesem Land, in dieser Stadt am Oberlauf des Flusses, schon fast im Gebirge, mit ihrem kaum je angelaufenen Hafen, in dem ich zum ersten Mal war – keiner kannte. Keiner? Doch einer, eine. Ihr hatte ich ihn, als wir nachts auf dem Speicherbett lagen, verraten. Hatte sie ihn sich gemerkt und an den Triefnassen weitergegeben, zum Beweis, dass er von ihr kam und ich ihm trauen konnte? Als Codewort? Der wischte sich mit dem Handrücken das Wasser von der Stirn, das aus seinem Haar troff, wobei ich an seinem Unterarm eine Tätowierung sah, fingernagelgroß, die, glaube ich, eine Rose darstellte, und sagte: »Bist *du* das? Dann soll ich dir ausrichten: Etwas hat sich geändert.« Er schwieg, wohl um meine Reaktion abzuwarten, aber ich verzog keine Miene, worauf er, ärgerlich, oder vielleicht auch nur geschäftsmäßig, sich seines Auftrags entledigend, fortfuhr: »Sie kann nicht kommen, sie wartet am Bahnhof.« »So?« »Wenn du willst, kann ich dich bringen.« »Ist es weit?« »Ich hab ein Motorrad.«

Der Zeiger rückte auf zwanzig nach zwölf, null Uhr zwanzig. Spätestens um eins – Ich schaute nach dem Mädchen, aber gleich als der Triefnasse reinkam, hatte sie das Tuch fallen lassen und war durch die Tür hinter der Theke gegangen, ich rief, aber sie blieb verschwunden, sie ließ sich nicht blicken, deshalb zog ich einen Geldschein hervor, der – vermutlich – ein Vielfaches des Rechnungsbetrages ausmachte, und legte ihn unter die Tasse, was er mit einem grimmigen Nicken quittierte, und da wusste ich, dass er darin eine Bestätigung dessen sah, was er von Ausländern dachte ... sie tauschen ihre Währung gegen unsere Słoty, wir drängen sie ihnen auf, und sie werfen sie weg, um uns ihre Verachtung zu zeigen. Aber wenn das Mädchen nicht kam? Was sollte ich machen? Als ich die Joppe anzog, wäre die Drahtschere beinahe aus der Tasche gefallen, sie rutschte vor, ich fing sie auf. Zum Glück hatte er sich im selben Moment umgedreht und war an den Windschutz getreten. Er schlug den Vorhang zurück, öffnete die Tür (hinter der der Regen wie ein zweiter Vorhang sichtbar wurde), und als ich an ihm vorbeiging, roch ich seinen Atem, er hatte getrunken, und nun erinnere ich mich, dass ich in diesem Moment zum ersten Mal überlegte, in welchem Verhältnis er zu ihr stehen mochte. War er ein Verwandter? Ein Kollege?

»Was ist?«

Er stand im prasselnden Regen neben dem Motorrad, das nicht aufgebockt war, sondern an der Wand des Gasthauses lehnte, ja, auch das fällt mir ein, es lehnte an der Wand, weil der Ständer, auf dem man es hätte aufbocken können, fehlte, es war eine alte Maschine. Er sprang mit dem Fuß auf den Anlasser, bis der Motor losheulte, schwang sich auf den Sattel, winkte, worauf ich mich hinter ihn setzte, und kaum dass ich saß – ich suchte noch nach den Fußstützen –, brauste er los, so dass ich heruntergeschleudert worden wäre, wenn ich mich nicht an seine Joppe geklammert hätte, dann – auch der Haltegriff fehlte – schlang ich die Arme um seine Brust und presste mich an seinen Rücken, und, eingehüllt in den herunterprasselnden Regen, in das vom Pflaster aufschießende Wasser, sausten wir über die Straße.

Die Häuser, an denen wir vorbeikamen (aber es gab ja kaum welche), lagen im Dunkeln, und als zur Linken eine Böschung auftauchte, drehte er den Kopf und schrie etwas in seiner vor S-Lauten zischenden Sprache, ein langes zischelndes Wort oder eine Folge von Worten, und als ich sein Gesicht sah, Auge an Auge mit meinem, wusste ich, dass er mich töten könnte, es wäre ihm eine Freude. Und unwillkürlich umschlang ihn mein Arm fester, während die Hand des anderen nach der Drahtschere tastete, und als hätte er meinen Gedanken erraten, begann er zu lachen, und gab, indem er die Rechte nach unten riss, so ruckartig Gas, dass die Maschine wie aus dem Stand – obwohl wir doch fuhren, und schnell fuhren – einen Satz nach vorne machte.

Inzwischen hatten wir die Häuser hinter uns gelassen, aber zur Linken lag noch die Böschung, während sich zur Rechten Wiesen erstreckten, in denen kleine Baumgruppen standen. Dieselben, zu denen wir einmal gegangen waren, als wir uns nicht nachts an der Speichertür, sondern tags am Ortsausgang verabredet hatten? Hatte man nicht in der Ferne Kräne gesehen, die die Lage des Hafens anzeigten? Meine Augen suchten den Horizont ab, aber in dieser Dunkelheit, bei diesem Regen. Plötzlich bremste er, und als wir hielten, zeigte er auf eine Treppe, die ein Stück voraus die Böschung hochführte. Wir saßen beide noch auf dem Motorrad, aber ich hatte ihn vor mir, meine Hand, die in der Tasche steckte, hielt den Griff der Schere.

»Da oben, sie wartet da oben.«

Und, tatsächlich, jetzt sah ich ein über die Böschung ragendes Dach und hörte das Rollen von Rädern. Und lauschte. Das Räderrollen war stärker, lauter geworden, und war da oben, am Kopf der Treppe, nicht eine Bewegung? Ja, da oben stand jemand, schräg gegen den Regen, schon halb im Licht der Scheinwerfer, die, ohne dass sie zu sehen gewesen wären (das Licht kam wie eine Wand), das Dunkel erhellten. Da zog ich die Hand aus der Tasche und lief zur Treppe, und als ich zur Treppe kam, hörte ich ihn hinter mir keuchen, zuerst dieses zischelnde Wort, dann: »Halt! Ich will etwas wissen.« Doch ich lief weiter, über mir war das Kreischen der Räder, der Zug hielt. Hielt der Zug? Ich konnte es nicht sehen, ich sah nur die steil nach oben führende Treppe, und sprang die Stufen hoch, er hinter mir, seine Hand (war es seine Hand?) streifte meinen Fuß, etwas traf meinen Fuß, ich fiel, und schon spürte ich sein Gewicht, seine Knie auf meinem Rücken.

»Hast du sie gefickt?« schrie er. »Hast du sie gefickt?«

Er riss mich hoch. Und das nächste, was ich hörte, war das Brummen des Motorrads, das sich entfernte. War ich ... hatte er mich mit dem Kopf auf die Stufen geschlagen? Ich weiß nicht, aber ich weiß, dass ich aufstand und die Treppe hochrannte. Oder irre ich mich? Ist es so, dass ich liegen blieb ... lag, bis die Leute mit der Taschenlampe kamen, die mich an Armen und Beinen packten und wie einen Sack Kartoffeln auf die Ladefläche eines Lasters warfen, der am Fuß der Treppe gehalten hatte? Aber wenn ich nicht auf dem Bahnsteig war ... woher habe ich dann das Bild der beiden Männer, die an einen dampfenden Zug herantreten, eine Tür aufreißen und eine Frau (die bis dahin verdeckt war) in den Wagen schieben und die Tür wieder hinter ihr schließen? Und das Bild der Uhr, deren Zeiger im selben Moment, in dem der Zug anfährt, auf null Uhr vierzig rücken?

Ach, wenn ich da war, war ich zu weit weg. Ich hätte näher herangehen sollen. Obwohl ich doch gewiss hingeschaut habe, ist in der Erinnerung nicht mehr als ein Schemen geblieben, eine Bewegung, ein rasches Zerren und Schieben, kaum zu erkennen in dieser Dunkelheit, in diesem Regen, der noch immer herunterstürzte, als der Laster am Schlagbaum hielt und die Wachen, die Zigaretten wegschnickend, herangeschlendert kamen.

8
DER IRRTUM

Voraus, am Ende des Kalidamms, liegt der Ort, in dem ich die erste Nacht in dieser Gegend verbrachte, ein kleines, nach Ende der Kaliherrschaft zur Bedeutungslosigkeit herabgesunkenes Städtchen, das ich nach mehrstündiger Busfahrt gegen Abend erreichte. Alles dort machte auf Anhieb einen so elend verlassenen Eindruck, dass ich voller Wehmut den hinter einer Kurve verschwindenden Lichtern des Busses nachschaute. Auf der Straße kein Mensch, dabei war es erst kurz nach sechs. War es nicht die Zeit, zu der die Leute mit ihren Einkäufen nach Hause eilten? Aber hier? Zu ebener Erde waren die Jalousien runtergelassen, vor den Fenstern hingen dicke Gardinen, von jener Art, die weder einen Blick von außen nach innen noch einen von innen nach außen gestatten, und die Häuser selber schienen sich nur mit Hilfe zwischen Boden und Decke gerammter Stützpfosten aufrecht zu halten. Eine Brücke führte über einen Bach, und eine Straße war zur Hälfte aufgerissen, das alles eng zusammengerückt, auf einem geschnitzten Holzschild *Altstadt* geheißen, noch elender aber das im Ring darum liegende Neue, das Einstöckige, L-Förmige, Bungalowhafte und das Anderthalbstöckige mit der steuergünstigen Einliegerwohnung, hinter Jägerzaun, Beeten und flachgehaltenem Rasen Verschanzte. Ich zog meinen Koffer, einen mit Rollen, und im Koffer den Laptop durch die verlassenen Straßen, der Wind schoss in Böen heran, die Peitschenlampen schwankten.

Aufgegebener Hof, nein, hier konnte das Haus, das ich suchte, nicht liegen, also bin ich in die Altstadt zurückgegangen, deren ganze Erscheinung dazu verführte, noch das Reklamelicht einer Drogeriekettenfiliale oder das unbeleuchtete Schild *Hotel* für einen Willkommensgruß zu halten. Tatsächlich ein Hotel oder, sagen wir, Gasthaus, dessen Tür, als ich die Klinke niederdrückte, unter Knarren zurückschwang. Eine schwere Frau unbestimmbaren Alters mit dem flachen Gesicht jenes gedrungenen, in dieser Gegend – was ich noch nicht wusste, aber bald wissen würde – häufig anzutreffenden Menschenschlages erhob sich ächzend von einer Bank und schlurfte hinter die Theke.

»Entschuldigen Sie.«

Ich kramte den Zettel hervor, obwohl ich die Adresse ja auswendig kannte. Die Wirtin, denn das war sie, nahm ihn in beide Hände, hielt ihn dicht vor die Augen, gab ihn mir zurück und sagte: »Tja, das sind ungefähr zehn Kilometer.« »So weit?« »Is' man nicht näher.« »Gibt es einen Bus?« »Morgen.« »Ein Taxi?« Sie nickte. Ja, aber ein solches müsste aus der Kreisstadt gerufen werden und käme, wenn überhaupt (hier seufzte sie), erst mit Stunden Verspätung. Nicht dass ich ihr glaubte. Hatte der Vermieter nicht gesagt: Das Dorf liegt nahe bei ... Doch plötzlich war ich müde geworden und dachte: Das Haus, das leere, ungeheizte. Musste ich heute dort hin? Nein, genauso gut könnte ich bleiben. Und fragte die Wirtin nach einem Zimmer.

Als sie mich die Treppe hochführte, wischten ihre Hände in beständigem Auf und Ab über die Schürze, die an eben diesen Stellen (Hüften) speckig glänzte, sie trug braune Stützstrümpfe, die das nach außen drängende Fleisch zusammenhielten, und in der Nacht, auf der Suche nach einer Toilette, vernahm ich ein durch die Gänge fliegendes Keuchen, nicht zweier Liebender, sondern eines einzelnen, eines Jungen, der, gebeugt über ein Heft, seine Hand gebrauchte. Die Tür war aufgesprungen, so dass ich in sein Zimmer sehen konnte, die Nachttischlampe brannte, er saß auf dem Bett, die Hose ringelte sich um seine Füße, eine Hand lag auf dem Heft, während die andere zwischen seinen Beinen rumfuhrwerkte, und als er aufschaute, bin ich weitergegangen, hinein in den Kampfergeruch, der aus einem anderen, ebenfalls offenen Zimmer strömte, ja, es musste Kampfer sein, was die Wirtin zum Einreiben der Beine benutzte, sie schüttete etwas aus einer Flasche auf ihre Hand und walkte das von den Stützen befreite Fleisch, das unter dem Deckenlicht ungesund weiße.

Und als ich in mein Zimmer zurückkam, sah ich *0:40*, die Digitaluhr, sie stand auf dem Nachtschrank, im selben Moment war das Klacken ertönt und die Ziffer weitergesprungen, ein Geräusch im Minutentakt, zum Wahnsinnigwerden – chinesische Folter, klack, oder in die Uhr eingebautes Scharfrichterschwert, das, klack, Minute um Minute vom Leben abteilte, eben war es so lang, jetzt ist es nur noch ... mit jedem Umsprung der Ziffern, mit jedem Klack war es kürzer geworden, und ich lag in diesem Gasthaus, in diesem Zimmer, in diesem Bett, und irgendwo, unerreichbar, gab es erleuchtete Städte, Gespräche, Bahnhöfe, Züge, Häfen, Flüsse, ziehende Kähne. Der Wind drückte gegen das Fenster, und da hab mich angekleidet, das Geld auf den Nachtschrank gelegt, meinen Koffer genommen und bin zur Treppe gegangen, im Dunkeln, leise, damit mich die beiden, deren Türen jetzt geschlossen waren, nicht hörten. Doch als ich unten ankam, trat der Junge (ja, er war es), als hätte er auf mich gewartet, aus einer Ecke und machte mit den Händen Zeichen. Durch die Luke über der Tür fiel dünnes Licht, das ihm bis zur Schulter reichte. »Was ist?« sagte ich. Er tat einen Schritt vor, wieder ins Dunkel eintauchend. »Willst du weg?« hörte ich seine Stimme an meinem Ohr. »Warum willst du nicht bleiben?« Und als ich sagte: »Ich kann nicht«, flüsterte er, in diesem Fall, dass er in diesem Fall mitkommen werde.

Noch bevor ich etwas erwidern konnte, sprang er zur

Tür, drehte den Schlüssel herum und ging, mir voraus, auf die Straße. Die Peitschenlampen waren erloschen, die weiße Mondsichel leuchtete, Wolken wirbelten am Himmel. Der Junge hatte ungefähr meine Größe, war aber so dünn, dass sich sein Pulli, als ihn ein Windstoß traf, wie ein leerer Kartoffelsack bauschte, die Ärmelenden hatte er innen umkrallt und über die Handrücken gezogen; trotz der flachen Nase, der aufgeworfenen Lippen war das Gesicht nicht eigentlich unschön zu nennen.

»Hören Sie«, sagte ich, das *Sie* scharf betonend, weil mir sein Duzen im Ohr klang, und setzte den Koffer, den ich im Haus getragen hatte, um jeden Lärm zu vermeiden, auf seine Rollen, »wenn es wegen dem Geld ist, es liegt unter der Uhr auf dem Nachtschrank.« »Aber ich werd' doch kein Geld von dir nehmen«, sagte er und schob seine Unterlippe vor. War er beleidigt? Warum? Und auf einmal kamen mir Zweifel. »Sie gehören doch zum Gasthaus?« Er schüttelte den Kopf, wie erstaunt über solchen Unverstand, und gab, nun lächelnd, zurück: »Die Wirtin ist ja meine Mutter.« »Na gut«, sagte ich, »das Zimmer ist jedenfalls bezahlt, wenn es das ist.« Und ging den schmalen, höckerigen Gehweg hinunter, er trottete neben mir her auf der Straße, wobei er die Arme angelegt hielt und die Fußspitzen (er trug Turnschuhe) nach innen setzte.

»Hören Sie«, sagte ich wieder. »Wenn Sie mich schon begleiten, können Sie mir auch zeigen, wie ich zum Kalidamm komme.« Plötzlich war mir das Wort eingefallen, das der Vermieter genannt hatte: Kalidamm. »Das Dorf liegt am Ende des Kalidamms.« Zehn Kilometer? Wenn ich stramm ging, würde ich das Haus bei Tagesanbruch erreichen. Der Junge schaute mich an. »Aber warum? Der führt doch bloß zu einem der Dörfer.« Ich schwieg. Oder vielleicht zuckte ich auch mit den Schultern, worauf er seufzte: »Zum Kalidamm. Dann müssen wir da lang.«

Er trat auf den Gehweg und drängte mich in eine Straße, die tatsächlich, nachdem sie sich noch einmal verengt hatte, aus dem Gassen- und Häusergewirr führte, ein von Pappeln gesäumter Sportplatz, Koppeln, dann bogen wir ab und gingen auf einer Chaussee, die sich schnurgerade dahinzog, links und rechts standen Büsche, dann Bäume und dahinter – unter uns, denn die Chaussee lag erhöht – erstreckten sich Felder. »Der Kalidamm?« Er nickte. Ich glaubte, jetzt würde er umkehren, aber er blieb, blieb neben mir, und nun hörte ich ihn sagen: »Wo warst du so lange? Wo bist du gewesen?« Und obwohl ihn das nichts anging – was sollte die Aufdringlichkeit? – und ich nicht daran dachte zu antworten, sah ich vor mir die Städte auftauchen, all die Wohnungen, Flüsse, Häfen und Kähne. »Ach«, sagte ich und beugte mich gegen den Wind, der aufgefrischt war. Der Pulli des Jungen war wie ein Segel.

Eine Weile war nur das Pfeifen des über die Felder

heranfliegenden Windes zu hören, darunter das Singen und Sirren der Kofferrollen, unsere Schritte, oder besser: meine, denn er ging geräuschlos in seinen federnden Schuhen, schließlich sein Räuspern. »Du willst nicht darüber reden? Schade. Aber ich will dir sagen, dass ich mich freue.« Vor uns lag eine Brücke, die einen Bach überspannte, der sich aus den Wassergräben der Felder speiste, und als wir sie erreicht hatten, blieb ich stehen, sagte: »Jetzt, denke ich, sollten Sie umkehren.« Er schaute hoch (ja, er war doch etwas kleiner als ich), und nun sah ich auch seine Augen, die mich überrascht, nein, feindselig, hasserfüllt anstarrten: »Du schickst mich weg?«, einen Moment nur, bevor sie wieder sanftmütig blickten. Er schüttelte den Kopf. »Nein«, dann, mehr zu sich selbst: »Jetzt, wo du da bist, werde ich bleiben.« »Darf ich fragen, was Sie meinen?« »Du warst so lange weg.« Sinnlos. Aber nun wusste ich, dass ich auf der Hut zu sein hatte: die Augen.

Ich umfasste den Griff meines Koffers, ging weiter. Der Mond war verschwunden, aber die Wolken flogen über den Himmel, Vorboten des Regens, der bald fallen sollte. Voraus begann es zu dämmern, und, wie auf der Herfahrt, erkannte ich Windräder, die dreifingrigen, über das ganze Land verteilten. Und als ich schon glaubte, der Junge sei zurückgeblieben – ich sah ihn nicht, wollte mich auch nicht umdrehen –, hörte ich ihn hinter mir, so nah, dass ich seinen Atem am Hals, im Nacken spürte. »Das musst du verstehen.« Dann, wieder neben mir: »Ich weiß nichts von dir und müsste doch alles wissen.« War er närrisch? Aber von welcher Art? Von der harmlos-geschwätzigen oder von der gefährlichen? Ich schob die Hand in die Tasche und umschloss den Schlüssel, den mir der Vermieter gegeben hatte. Für alle Fälle. Hatte ich nicht gesehen, in einem der Häfen, die durch die Fragen des Jungen vor mir aufgetaucht waren, wie der Bootsmann einen Schlüssel so in die Faust nahm, dass die Spitze zwischen den Fingern vorragte, die stählerne Schlüsselspitze, bevor er damit ausgeholt hatte, um sie einem Angreifer in die Nasenwurzel zu rammen?

»Kehr um!«, sagte ich. Aber er schüttelte den Kopf. »Wie kann ich?« Und trottete weiter. Wieder erschien die Unterlippe über der anderen, er machte eine Schippe, wie der Bootsmann das nannte. »Und du?«, sagte er. »Warum fragst *du* nicht? Warum fragst du nicht, wie es *mir* ergangen ist? Du weißt ja nichts. Du hast ja nichts mitbekommen. Ich bin immer nur krumm um die Häuser geschlichen, während du durch die Welt gingst, aufrecht, gerade. Keine Karte, kein Anruf! All die Jahre! Kein Wort, kein Lob, keine Aufmunterung, keine Unterweisung! Soll man seinen Sohn so behandeln? Auch Mutter sagt: Es ist eine Schande. Während ich immer nur die Hände ins Abwasser hielt, wehte dir der Wind um die Nase. Während ich mich mit Bildern begnügte, hattest du Weiber.«

Und unter diesem mäandernden Geschwätz, das ich

ertrug, da ich einsah, dass es sinnlos gewesen wäre, ihn von seinem Irrtum überzeugen zu wollen, haben wir den Kalidamm verlassen und Einzug ins Dorf gehalten. Aber was heißt Dorf? Ein paar niedrige, um einen kreisrunden Platz gruppierte Häuser. Ich blickte auf meinen Zettel – das mit dem vorgezogenen Dach – und trat in den verwilderten Garten, er hinter mir, doch als er mir auch ins Haus folgen wollte, hab ich die Tür zugeschlagen. Ich wuchtete den Koffer aufs Bett, ging durch die Räume – nichts Besonderes: klein, kalt, wie erwartet –, und als ich durchs Fenster blickte, sah ich, dass er neben einem heruntergebrochenen Baum Stellung bezogen hatte und herüberschaute. Und als er am Mittag noch da stand, hab ich ein paar der großen Scheite, die neben dem Ofen lagen, genommen, bin vor die Tür getreten und hab sie in seine Richtung geschleudert.

9
ES IST NOCH NICHT FREITAG

Wieder ist der übers Wasser huschende Lichtschein zu sehen. Die Wachen, die die hochgelegene Straße abgehen und das Steigen des Pegels verfolgen? Aber was können sie tun außer zu warten und, wenn es passiert, wenn das Wasser über die Straße tritt, die Tatsache, die sich ihrem Einfluss entzieht, an den im Trockenen sitzenden Krisenstab zu melden? »Land unter.« Dann, am Morgen, werden Helikopter aufsteigen, die das Gebiet überfliegen; am Himmel ist dieses flappende Dröhnen, und wenn wir aufschauen, werden wir in das herunterstarrende Kameraauge sehen. Der Kameramann beugt sich vor und blickt durch den Sucher: Da unten die Baumkronen, die den Verlauf der Straße anzeigen, da die Salzkegel, die wie Brüste aus dem Wasser ragen, da die Baumhaufen, zwischen denen die Dächer vorlugen. Und am Abend werden wir die Bilder im Fernseher betrachten und eine Off-Stimme hören: Eine Fläche von der Größe des Saarlands – das heißt, wenn wir noch einen Fernseher haben und es nicht selber sind, die sich an einen der Dachfirste klammern. Aber noch ist Nacht, noch ist nur das Herunterklatschen des Regens zu hören und dazwischen das mal höher, mal tiefer über den Kalidamm fliegende Pfeifen. Und als ein Flackern wie Wetterleuchten durch die Wolken geistert, sehe ich mich an jenem Märztag am Stadtrand von Wien, zwischen den Kühl- und Lagerhäusern im Hafen Albern, wie ich im Toben eines Gewitters um die Ecken laufe, durch Gassen und Höfe, in die sich damals – nach dem Neubau der Kaianlagen – kaum noch jemand verirrte, um endlich unter dem Vordach einer Verladerampe stehen zu bleiben.

Zwei Tage zuvor war nach wochenlangem Regen das Schleusentor eines flussaufwärts liegenden Kraftwerks geborsten, das zurückgestaute Wasser hatte sich in die Donau-Auen ergossen, die Auffangbecken waren voll gelaufen, das Wasser drückte gegen die Deiche und hatte flussabwärts, im Marchland, die tiefer gelegenen Dörfer überflutet. Der Schiffsverkehr war eingestellt worden, wir lagen mit Maschinenteilen, die für Ungarn bestimmt waren, im Hafen, keiner wusste, wann es weitergehen würde. Der Hafenmeister, mit dem ich über die Liegegebühr verhandelte, hatte gesagt, es könne Tage, ja Wochen dauern, bis die Fahrrinne freigeräumt sei. Am Morgen hatte der Regen ausgesetzt, und als wir schon glaubten, das Schlimmste sei überstanden, hatte das Gewitter angefangen, der Regen pladderte herab, als ob er das Versäumte nachholen wollte.

Es war Nachmittag und, wenn nicht gerade ein Blitz herunterzuckte, stockfinster. Das einzige Licht, das ich sah, fiel aus dem Fenster eines niedrigen Schuppens, der zu einer Reihe von aneinandergebauten Werkstätten gehörte. Auf einem Tisch stand, angestrahlt von einer Lampe, eine Holzfigur mit langen Armen und schmächtigen Beinen, die wohl einen Engel darstellte, das heißt, wenn es Flügel waren, die ihm auf dem Rücken saßen und nicht bloß zu groß geratene Schulterblätter. Auf dem Kopf trug er eine Art Helm oder Kappe, und sein Kleid (unter dem die Beine vorschauten) war mit Flecken bedeckt, wie von einem Schwarm weißer Schmetterlinge, der ihn sich als Ruheplatz ausgesucht hatte. Ab und zu tauchten zwei Hände im Fenster auf, die ihn um ein Winziges drehten, aber wem die Hände gehörten, war von meiner Stelle aus nicht zu erkennen. Der Schuppen lag schräg gegenüber, und den da drüben verdeckte die Wand, hinter der er die Hände vorstreckte.

Ich tastete nach den Zigaretten, aber ich hatte sie im Büro des Hafenmeisters vergessen, das einzige, was ich fand, war das Feuerzeug und die Adresse, die er mir auf einen Zettel gekritzelt hatte, die Adresse eines Lokals mit – sagte er – gutem und preiswertem Essen, nicht weit vom Kai, an dem wir festgemacht hatten. Ich war vor zehn Tagen angekommen und gleich auf das Schiff gegangen, das flussaufwärts in der Nähe des Pumpwerks gelegen hatte.

Das Dach zog sich über die ganze Länge der Rampe. Zum Glück war es breit genug, das heißt, solange der Guss gerade herunterkam, aber als der Wind auffrischte, schoss er unter das Dach, so dass ich mich mit dem Rücken an die Blechwand drückte, und als ich aufschaute, sah ich jemanden in der Schuppentür auf der anderen Seite der Gasse, die Tür hatte sich geöffnet, jemand war in die Tür getreten und blickte herüber, zumindest glaubte ich das, auch wenn ich nur seinen Umriss sah, sein Gesicht lag im Schatten.

»Hallo«, rief ich und winkte hinüber, aber keine Antwort. Er hatte mich nicht bemerkt. Kein Wunder, ich stand ja unter dem vorspringenden Dach, er in der offenen Tür, vor dem Licht, das im Schuppeninneren brannte. Und mein Ruf war im Regenprasseln und Donnergrollen untergegangen. Nun sah ich eine Bewegung, und als ein Feuerzeug aufflammte, erkannte ich eine Frau, es war eine Frau, von der mich Straße, Gewitter und Regenvorhang trennten. Sie rauchte. Automatisch fasste ich in die Tasche. Aber, richtig, ich hatte die Zigaretten in der Hafenmeisterei liegen gelassen. Der Wind trieb den Regen in meine Richtung, sie stand im Schutz des Hauses. Der Rauch stieg nicht auf, sondern legte sich um ihren Kopf wie eine Wolke, und nachdem die Zigarette ein paarmal aufgeglimmt war, hörte ich aus dem Dunst heraus ihre Worte: »Sie kommen zu früh. Wieso schon heute? Gehen Sie wieder. Es ist noch nicht Freitag.«

Eine noch junge Frau – ihre Worte stürzen in der Schwärze des Kalidamms mit der gleichen Deutlichkeit auf mich herab, mit der sie im Gewitterwind über die

Gasse fegten. Gehen Sie wieder. Um der Liste meiner Versäumnisse ein weiteres anzufügen? Ach, nachts das Haus verlassen und, weil die Asphaltwege unter Wasser stehen, auf den höher gelegenen Kalidamm einbiegen – schon fallen die Versäumnisse über mich her, sie stecken im Prasseln des Regens, in dem über meinen Kopf fliegenden Pfeifen. Sie kommen zu früh. Wieso schon heute. Aber der Regen schoss unter das Dach und schlug mir gegen die Beine, Schuhe und Hosen waren durchnässt, dazu die Kälte. Eine Verwechslung, klar, aber eine, die ich, erst mal im Trockenen, Warmen, immer noch aufklären könnte. Außerdem hatte ich unbändige Lust zu rauchen. »Na gut«, rief ich zurück. Aber nun sei ich da, und in diesem Fall müsse es mir auch erlaubt sein, einzutreten. Sie schnippte die Zigarette weg und ging in die Werkstatt zurück, schloss die Tür aber nicht ganz, der Lichtspalt blieb, und als der Regen nachließ, stieß ich mich von der Rampe ab und sprang über die Straße.

Trocken, ja, es war trocken, wenn man darunter verstand, dass es trockener war als draußen, aber wenn ich geglaubt hatte, ins Warme zu kommen, war das ein Irrtum gewesen. Die einzige Wärmequelle war eine Heizsonne, deren Spirale rot glühte. Und die Werkstatt? Wenn es eine Werkstatt war, war sie nicht für den Zweck gebaut worden, dem sie jetzt diente. Durch den Betonboden zogen sich armdicke Rillen, die zu tiefer gelegenen Abflüssen führten, und von Eisenschienen an der Decke hingen

Ketten, deren Haken jeweils in eines der oberen Glieder eingeklinkt waren, so dass man darunter durchgehen konnte, ohne mit dem Kopf anzuschlagen – die Rillen, die Ketten, die Haken, weshalb ich augenblicklich dachte, dass hier Rinder- und Schweinehälften gehangen hatten. Wenn Werkstatt, dann eine für das Handwerk des Schlachtens, andererseits, wenn Schlachthaus, wenn es ein Schlachthaus war, hätten die Wände anders beschaffen sein müssen: gekachelt, doch das waren sie nicht, sondern aus Stein, es waren Steinwände, von denen der Mörtel platzte, an den Wänden entlang lagen sandige Placken.

»Entschuldigung«, rief ich und blickte mich um, »wenn Sie erlauben, ich bin nur gekommen, um mich unterzustellen.« Und zeigte auf meine Hose, die mir von den Knien abwärts wie Nasswickel an den Beinen klebte, aber es war niemand da, der sie hätte begutachten können. Die Frau war nirgends zu sehen. Ein großer Raum, das einzige Licht kam von der Lampe am Fenster, die andere Raumseite lag im Dunkel, und in diesem Dunkel war eine Tür, die zum Hof, auf einen Gang oder zu einem der anderen Räume führte. Ich war durch die eine Tür hereingekommen, und sie war durch die andere hinausgegangen. Und ebenfalls im Dunkel, in der dunklen Raumhälfte eine Matratze, auf der ein Schlafsack lag, wie ich ihn als Jugendlicher beim Trampen mitgeführt hatte. In dieser Raumhälfte befand sich eine Art Lager, auf der

Matratze der Schlafsack, und um die Matratze herum: ein Koffer, ein Handtuch, ein Pullover, ein verschrumpelter Apfel, ein Korkenzieher, eine Mineralwasserflasche, eine heruntergebrannte Kerze.

All das fällt mir jetzt in der Schwärze des Kalidamms ein, ebenso wie die Schachtel, blau, die verführerisch blinkte. Auf der Fensterseite standen drei Tische: der mit dem Engel, auf dem nicht etwa ein Schmetterlingsschwarm saß, sondern wie Wundpflaster weiße Papierstreifen klebten, auf dem zweiten die blaue Schachtel und ein Mikroskop mit zwei Okularen, auf dem dritten verschiedene Werkzeuge, von denen ich, als ich heranging, nur Hohleisen, Spitzwinder, Schraubenzieher und Schraubknecht erkannte, die auch in der Werkstatt meines Großvaters gehangen hatten, aber es gab auch andere, die ich nie zuvor gesehen hatte, und alle winzig, wie aus einem Spielzeugkasten (ohne deshalb etwas Spielzeughaftes zu haben), dazwischen eine Unzahl von Töpfchen und Flaschen, Pinseln, Pinzetten, Wattebäuschen und Lappen. Und als ich nach der Schachtel langte, hörte ich wieder: »Es ist noch nicht Freitag.« Mit einer Stimme, so hohl, als wenn sie durch ein Ofenrohr käme. »Nein«, rief ich zur Tür hin, »Freitag ist morgen«, nahm eine Zigarette, schloss sie so in die Hand, dass sie nicht nass werden konnte, und ging, und als ich wieder unter dem Rampendach stand, hörte ich von der Tür her ein Geräusch, ein metallisches Kratzen und

Schaben, als sei ein Schlüssel umgedreht oder ein Riegel vorgelegt worden.

Der Regen fiel noch immer herab, aber das Gewitter war weitergezogen, und als ich die Zigarette anzündete, sah ich eine Bewegung am Fenster, die Frau schob den Tisch mit dem Engel zurück, verschwand, und als sie wieder erschien, hatte sie ein Brett in der Hand, das sie ans Fensterkreuz lehnte, dann noch ein Brett, und als drei oder vier dort beisammen waren, stieg sie auf einen Stuhl und begann, sie über die Öffnung zu nageln, dabei war es gerade etwas heller geworden, so dass man beinahe wieder von Tageslicht sprechen konnte. Ein graublauer Streifen öffnete sich nach Westen hin zwischen den Wolken, die, sich ständig verändernd, über den Himmel eilten, und in der Gasse, die mir vorher als dunkle Schlucht erschienen war, traten Einzelheiten hervor: die Dachrinne, die sich über die ganze Schuppenfront zog, war geborsten, das Wasser war vom Dach gestürzt, die Wand runtergelaufen und ins Mauerwerk eingedrungen, so dass im oberen Teil der ehemals gelben Wand Flecken zu sehen waren, vom Firmennamen über der Tür waren – bis auf EL . . .OTR . . .A – die Buchstaben abgefallen, das Pladdern und Prasseln war von einem Tropfen und Plätschern abgelöst worden, es tropfte vom Rampendach, und eine lehmbraune Brühe floss die grob gepflasterte Gasse hinunter.

Das Tageslicht kehrte zurück, aber die Frau tat alles,

um es auszusperren. Hatte sie die Veränderung nicht mitbekommen? Zwischen dem Tropfen und Plätschern ringsumher dröhnte das Hämmern herüber, weshalb ich die Zigarette wegwarf, ans Fenster trat und zum Himmel zeigte. Das erste Brett hatte sie schon angebracht, jetzt nahm sie das zweite. Ich stieg durch die lehmbraune über das Pflaster rinnende Brühe, stellte mich vors Fenster, hob die Hand – Sehn Sie, der Regen hört auf, es wird hell! –, aber sie schaute an mir vorbei. Ihr Gesicht war hinter der Scheibe schwer zu erkennen, die Haare, wohl blond, wurden von einem Stirnband, das auch die Ohren bedeckte, zurückgehalten; ein dunkler Kittel, in dessen Tasche ein blitzendes Messerchen steckte, zwischen den Lippen hielt sie zwei Nägel. Sie stand auf dem Stuhl, balancierte das Brett, und als sie es über das Fenster legte, habe ich mich umgedreht und bin auf der aus der Brühe ragenden Bordsteinkante die Gasse runtergegangen, zurück zum Schiff. – Genauso, wie ich es dann in meinem Brief, zu Händen der Polizeidirektion Wien-West, beschrieben habe. – Das Wasser stand kniehoch in den tiefer liegenden Höfen, hier und da hatten sich kleine Strudel gebildet, in denen in immer engeren Spiralen die vom Regen aufgeklaubten Abfälle kreisten: Papierfetzen, undefinierbare Reste von vielleicht einmal nützlichen Dingen, und in der Luft war ein Gurgeln und Schmatzen, als würden sie in viele Mäuler hineingeschlungen, um im Erdinnern der Verdauung zugeführt zu werden.

Offenbar war ich vorhin im Zickzack gelaufen, jetzt folgte ich der Gasse und kam zu dem Haus, in dem ich mit dem Hafenmeister gesessen hatte, das kleine Gebäude – nur eine für diesen Abschnitt zuständige Nebenstelle – duckte sich zwischen den Speichern, die wegen des Hochwassers zugesperrt und mit Ketten gesichert waren, auf ein Tor hatte jemand mit weißer, nun verwischter Kreide geschrieben: *Sieh überall mit deinen eigenen Augen*. Ich stand vor der Hafenmeisterei, und wieder hatte ich Lust zu rauchen, ich stieg die Treppe hoch, aber die Tür, hinter der meine Zigaretten lagen, war verschlossen, Dienstschluss, man war schon nach Hause gegangen. Oder war der Hafenmeister mit seinen Leuten zu einer Besprechung beim Krisenstab in den Westhafen gefahren? Hatte er nicht gesagt, dass jeder zusätzliche Tropfen die Katastrophe auslösen könne? Hier unten, in Nähe der Kais, lagen Sandsäcke, die zu hüfthohen Barrieren aufgeschichtet waren.

Ach, kein gutes Schiff, schwierige Leute. Mirko, der Bootsmann, schlief dauernd ein, und Herbert, der Maschinist, redete gerne und viel, und die ganze Nacht dröhnte aus seiner Kammer Musik (oder was er dafür hielt) herüber. Seine Kammer lag neben meiner, wenn ich an die Wand klopfte, stellte er das Radio leiser, was fast noch schlimmer war, weil ich jetzt nur noch das Klopfen der Bässe hörte.

Mirko war ein kleiner, schweigsamer Mann, Mitte fünfzig, mit aschgrauen Haaren, die ihm wie Borsten vom Kopf abstanden. In seinem Personalbogen stand Jugoslawe, doch als ich mit meinem Koffer an Bord kam, hatte mich Herbert beiseite genommen und, mit Blick auf Mirko, geflüstert: »Schiffer, er ist Kroate.« Ich weiß noch – wir standen an Deck, Mirko saß ein Stück weiter auf einer der Luken, er hatte den Kopf in den Nacken gelegt und die Augen geschlossen, aber man wusste nicht, ob er die Augen geschlossen hielt, weil er schlief, oder wegen der Sonne, ja, noch nicht mal, ob er die Augen wirklich geschlossen hatte oder nicht durch einen Spalt hindurch herüberspähte, und als Herbert das merkte, hatte er sich umgedreht und war ein paar Schritte weitergegangen. Manchmal kamen Leute an Bord, kleine, ältere Männer, die Mirko umarmten; sie gingen in seine Kammer, und wenn ich vorbeikam, sah ich, dass die Gardinen, die eben noch offen gestanden hatten, zugezogen waren, kein Wort drang heraus, kein Laut, so dass ich mich fragte, was sie da taten. Ein enges Schiff, von der Abmessung her, aber auch von den Leuten, nicht mein Schiff, ich war nur Ersatz, ein Ersatzkapitän, ich war für den krank gewordenen Kapitän eingesprungen und wollte die Fahrt möglichst schnell hinter mich bringen. Anfang März, an dem Tag, an dem ich das Schiff übernahm, schien die Sonne, doch dann kamen das Tauwetter, die Schneeschmelze, der Regen, und wir lagen wochenlang fest.

Die Kisten mit den Maschinenteilen waren in den Laderäumen verstaut, doch da nicht alle hineingepasst hatten, waren die übrigen auf den Luken gestapelt, mit Persenning abgedeckt und mit Stahlseilen festgezurrt worden; vor ein paar Tagen war im selben Hafenabschnitt von einem anderen Kahn die gesamte Ladung gestohlen worden. Während die Besatzung in einem Gasthaus saß, waren mehrere Laster vorgefahren, einer der Männer hatte dem Kranführer Papiere gezeigt, aus denen hervorging, dass die Ladung gelöscht werden solle. Und als die Mannschaft zurückkam, hatte sie vor leeren Laderäumen gestanden.

Mirko saß, wie ich ihm eingeschärft hatte, auf der Brücke, von der aus man den Kai, das Deck, die Kisten im Auge hatte, die Arme hatte er vor der Brust gekreuzt, sein Kopf war nach vorn gesunken, so dass man von weitem nur seine Haarborsten sehen konnte. Als ich eintrat, schreckte er hoch. Er schlief, hatte geschlafen. Aber was sollte ich sagen? Dass er gefälligst die Augen offen zu halten habe? Dass wir von Mardern umgeben seien und jede Unachtsamkeit unsererseits ... Ach, er wusste es, wusste es selbst, also sagte ich nur: »Geh runter! Leg dich hin! Ich bleibe jetzt oben.« Doch vorher ging ich in meine Kammer, zog eine andere Hose an und griff nach den Zigaretten, und als ich zurückkam, saß er wieder so da: Arme vor der Brust, Kopf nach vorn, Augen geschlossen. Er machte seine Arbeit, ja, doch kaum setzte er sich oder lehnte sich irgendwo an, begann sein Kopf nach vorn zu sinken.

Gegen zehn sah ich Herbert am Ende des Kais, es war dunkel, aber die Lampen waren eingeschaltet, er ging in seiner Bundeswehrjacke unter der Verladebrücke hindurch, kurz danach kam er an Bord, seine Schritte hallten, und als er die Tür aufstieß, fing er schon an, mit seiner Stimme herumzutönen. Ach, kein gutes Schiff, keine guten Leute, der eine schlief dauernd ein, der andere lief in einer Bundeswehrjacke herum, redete gerne und viel und ließ nachts das Radio laufen. Und ich selber? Ich schwankte, ich sagte ein scharfes Wort, um es mit dem nächsten wieder zurückzunehmen.

Ja, kurz nach zehn übergab ich Herbert die Wache, ging in meine Kammer, legte mich hin, nach ein paar Minuten stand ich wieder auf und ging zu Mirko hinüber. Er lag auf dem Rücken in seiner Koje, die Arme unter dem Kopf, die Augen offen. »Mirko«, sagte ich, »hast du Zigaretten?« Es war die letzte Schachtel, die ich mit auf die Brücke genommen hatte. Er setzte sich auf und zeigte auf eine Packung Tabak, richtig, er rauchte Machorka, er drehte selber, danke, ich schüttelte den Kopf und lief zur Brücke, doch bevor ich oben ankam, fiel mir ein, dass Herbert nicht rauchte, also kehrte ich um, holte meine Jacke und ging noch einmal über den Steg.

Wenn ich mich daran in allen Einzelheiten zu erinnern versuche, an jedes Wort, jeden Schritt, dann auch, weil ich mir klar machen will, dass ich die Frau schon vergessen hatte – ich hatte andere Sorgen: das Schiff, die Ladung, die Leute, und wie alles bei Hochwasser heil den Fluss hinunterbringen – und dass es Zufall war, dass ich sie wiedergesehen habe. Hätte Mirko etwas anderes als Machorka geraucht oder hätte Herbert Zigaretten besessen, wäre ich an Bord geblieben.

Das Lokal, das der Hafenmeister genannt hatte, musste sich ganz in der Nähe befinden, in einer der Gassen, die auf den Platz zuliefen. Es regnete noch oder regnete wieder, aber es war ein harmloser Regen, einer, von dem man wusste, dass er wieder aufhören würde, während man vorher geglaubt hatte, dass es ewig so weiterginge – Wochen, Monate, Jahre. Das Wasser stand zentimeterhoch auf dem Kai und bildete mit dem Hafenbecken (dessen Begrenzung nicht mehr zu erkennen war) eine Linie, die bis zu den flackernden Lichtern auf der anderen Hafenseite reichte. Da ich festen Boden unter den Füßen hatte, dachte ich einen Moment, dass es möglich sein müsse, an den Kähnen vorbei über das Wasser zu laufen.

Sie saß mit dem Rücken zur Tür in einer der Sitzbuchten, die sich an den Wänden lang zogen, ein schmaler Nacken, das Stirnband, die blonden Haare, und jetzt, da mir in der Schwärze des Kalidamms weitere Einzelheiten einfallen, glaube ich, dass sie den Pullover trug, der am Nachmittag auf dem Matratzenlager gelegen hatte.

Ich trat an die Theke und verlangte eine Stange Zigaretten. Der Wirt, ein großer stämmiger Mann mit einer Lederschürze, drehte sich um, öffnete einen Schrank, nahm sie heraus und legte sie auf den Tresen, und nachdem ich gezahlt hatte, ging ich an ihren Tisch. Sie hielt den Kopf gesenkt, ihre Hände drehten ein leeres Glas, ihre Hände steckten in Handschuhen, die über den Knöcheln abgeschnitten waren, wie Fahrradhandschuhe, aber nicht aus Leder oder Kunststoff, sondern aus Wolle, und weil ein paar Fäden heraushingen, sah man, dass sie die Finger erst nachträglich abgetrennt hatte.

»Entschuldigen Sie«, sagte ich, »dass ich heute Nachmittag einfach so in Ihre Werkstatt ... aber das Gewitter, der Regen.«

Sie schaute auf, das heißt, sie schaute auf den Reißverschluss meiner Jacke, den ich zur Hälfte aufgezogen hatte, senkte wieder den Kopf, und da ich dachte, sie hätte mich nicht verstanden, wiederholte ich: »Heute Nachmittag. Es tut mir leid, wenn ich Sie erschreckt habe.« Der Wirt blickte herüber, die eine Hand hatte er auf den Zapfhahn gelegt, die andere stützte er in die Seite. Mir fiel ein, dass ich seit meiner Ankunft nur mit Männern gesprochen hatte, Herbert, Mirko, der Hafenmeister, ein paar Schiffer, die am selben Kai festgemacht hatten, alles Männer, abgesehen von der Bedienung des Lokals beim Pumpwerk, in das wir manchmal gegangen waren, aber das war keine Frau, sondern ein Mädchen, das sogar, wenn es bediente, einen Kopfhörer aufhatte, aus dem ein ähnlich nervöses Klopfen wie aus Herberts Kammer tönte. »Außerdem«, sagte ich, »hab ich mir eine Zigarette genommen«, riss die Stange auf und zog eine Schachtel hervor. »Nicht Ihre Sorte, ich weiß, aber wenn Sie sie trotzdem nehmen würden.«

Die ganze Zeit stierte sie auf den Tisch, so dass ich, wenn ich nicht den Rückzug antreten wollte, gezwungen war, weiterzureden. »Wissen Sie, ich bin Schiffer.« Ich erzählte ihr, wie es dazu kam, dass ich unter der Rampe gestanden und das Licht in ihrer Werkstatt gesehen hatte, dann sprach ich von der Enge des Kahns und von der Unzulänglichkeit meiner Leute, schließlich kam ich auf andere Flüsse zu sprechen: die Elbe, die Themse, der Hudson, und als sei das noch nicht genug, begann ich plötzlich von meinem Großvater zu reden, von seinem Schuppen, in dem ähnliche Werkzeuge wie in ihrer Werkstatt gelegen hätten, und von seinem an den Kanalweg grenzenden Garten, vom Schilfgeruch nachts und dem Glitzern der Weiden, sowie von dem Brandmal auf meinem Rücken, das unter bestimmten Bedingungen zu jucken anfing. All das stürzte in einem peinlichen Redeschwall aus mir heraus, wie Herbert hörte ich mich von einer Geschichte zu anderen springen, und als ich fragte, ob ich mich setzen dürfe, hob sie den Kopf und sagte leise, doch nicht ohne Strenge: »Es ist noch nicht Freitag.«

Ja, jetzt hör ich durch das Pfeifen des Kalidamms ihre

Stimme, und sehe, wie sie das Regencape nahm, das auf der Bank gelegen hatte, ein grauer Umhang aus festem Stoff, wie er früher für Persenning oder Zelte Verwendung gefunden hatte.

Als ich an die Theke zurückkam, kniff der Wirt die Augen zusammen. Ich sagte, dass ich sie kenne, und nickte zur Tür. Sie war einfach aufgestanden, hatte das Cape umgelegt und war hinausgegangen. Er schaute mich an und fragte dann, was ich wolle. »Einen Weißen.« Worauf er endlich die Hand vom Zapfhahn nahm und sich zum Kühlschrank bückte. Nur noch wenige Gäste. Ein polnischer Schiffer, mit dem ich über die Liegegebühren gesprochen hatte, darüber, dass wir (obwohl es ja höhere Gewalt war, dass wir festgehalten wurden) den vollen Satz bezahlen sollten, steckte Münzen in einen Automaten, und zwei Männer in den blauen Overalls des Zivilschutzes blickten auf den Fernseher in einer Ecke. Er lief ohne Ton und zeigte, wie sich das Wasser durch eine Ortschaft wälzte, dann, nach einem Umschnitt, sah man aus einem Hubschrauber aufgenommene Bilder: Baumkronen, die aus dem Wasser ragten, ein Dach, auf dem winkende Menschen saßen, eine Tür, die sich in einem Strudel wie ein Kreisel drehte, und eine große Holzbrücke, die unter dem Ansturm der Flut zusammenstürzte, danach zoomte die Kamera auf einen paddelnden Hund, der die Schnauze aus dem Wasser reckte, bevor er von einer Strömung erfasst und aus dem Bild gerissen wurde.

Ich trank einen Schluck Wein, und als ich das Glas auf den Tresen stellte, bemerkte ich in der Tür zum hinteren Zimmer eine dicke Frau im Morgenmantel, die wohl schon geschlafen hatte; während sie die Bilder betrachtete, hielt sie die Hand vor den Mund und gähnte. Der Morgenmantel war weiß und stand vorn ein Stück offen, so dass man die Falte ihres mächtigen Busens sehen konnte. Vielleicht war sie noch einmal aufgestanden, um die Meldungen über das Hochwasser zu verfolgen. Ja, es sah ganz so aus, denn als ich bei den Weltnachrichten wieder hinüberschaute, war sie ins Zimmer zurückgegangen, durch die halb offene Tür drang grünes Licht, wie von einer abgedunkelten Nachttischlampe. Auch das fällt mir jetzt ein, das grüne Licht, in dem wir kurz danach gesessen haben.

Der Wirt ging von Tisch zu Tisch und flüsterte mit den Gästen, worauf die Zivilschutzmänner ihre Portemonnaies aus der Tasche zogen und ihm zwei Scheine gaben, jeder einen; ein Mann, von der Kleidung her Stauer, der allein in einer der Sitzbuchten hockte, hob die Hand vom Tisch, und nun sah ich einen Geldschein, den er darunter verborgen hatte, hundert Schilling, die der Wirt im Vorbeigehen in die Schürzentasche steckte; der Pole hatte dem Automaten den Rücken gekehrt und ging ihm, mit einem Geldschein wedelnd, entgegen, der Wirt pflückte ihn aus seiner Hand, danach sah er mich an. »Na, Schiffer, was ist? Ich sperr jetzt zu, wenn Sie bleiben wollen, müssen Sie löhnen, es sei denn«, er zwinkerte mir zu, »Sie wollten Rickis Stelle einnehmen.«

Bei dem Namen Ricki erhob sich ein Junge, der, den Kopf auf den Händen, in einer Ecke geschlafen hatte, und wankte zur Tür, in der die Frau im Morgenmantel gestanden hatte. Ich dachte an das enge Schiff, an die Koje, das rhythmische Klopfen aus Herberts Kammer, ich hatte keine Lust, dahin zurückzukehren, und zog einen Schein hervor, hundert Schilling, genauso viel, wie ich in der Hand des Polen und auf dem Tisch des Stauers gesehen hatte. Der Wirt steckte ihn ein und ging zur Außentür, wo er den Schlüssel umdrehte. Die anderen waren aufgestanden und an den grünen Türspalt getreten. Ricki rieb sich den Schlaf aus den Augen, er machte ein mürrisches Gesicht, als hätte er den Auftrag erhalten, in den Ankerkasten zu kriechen, um die klemmende Kette anzuheben. Er trug eine gelbe Kunstlederjacke (ähnlich der von Mirko), helle Jeans und an den Schäften mit Perlen bestickte Cowboystiefel, die er die ganze Zeit über anbehalten sollte; das Haar hing ihm in die Stirn, und unter dem linken Auge hatte er eine kleine Narbe. Nachdem wir durch die Tür getreten waren, der Wirt voran, ließ er sich auf einen Stuhl fallen, streckte die Beine aus und verschränkte die Arme. Die Zivilschutzmänner setzten sich nebeneinander, während der Pole, der Stauer und ich darauf achteten, mindestens einen Stuhl zwischen uns frei zu lassen.

Das grüne Licht kam von zwei Lampen unter der Decke, deren Strahler auf ein Podest in der Mitte gerichtet waren, davor die beiden im Halbkreis aufgestellten Stuhlreihen und im verschwimmenden Hintergrund ein Hocker, ein Waschbecken und eine Couch, auf der sich die Frau im Morgenmantel ausgestreckt hatte. Sie lag auf der Seite, das Gesicht uns zugewandt, ein volles, rundes Gesicht, das in diesem Licht die Flächigkeit einer Scheibe hatte. Bei den ersten Takten von *Strangers in the Night* setzte sie sich umständlich auf und schlüpfte in Pantoffeln, die vor der Couch standen, um sie gleich wieder abzuschütteln und in die neben dem Waschbecken stehenden Pumps zu steigen. Dann die Stimme des Wirts. Als ich sie hörte, drehte ich mich um. Er kam ein paar Schritte vor, breitete die Arme aus und rief wie ein Zirkusdirektor: »Frau Mona!«

Nun quetschte sie sich durch eine Lücke zwischen den Stühlen, kletterte auf das Podest, drehte sich zweimal im Kreis und ließ den Morgenmantel über die Schulter gleiten, fing ihn aber im letzten Moment auf, indem sie ihn, scheinbar erschrocken, über der Brust zusammenraffte und die Lippen vorstülpte, einen in die Luft geworfenen Kuss andeutend. Das Licht hatte gewechselt, die grünen Strahler waren aus- und rote angegangen, so dass ihre Schultern wie Lammkeulen glänzten, in einem üppigen Rosa, noch ein paar Tanzschritte vor und zurück, dann ließ sie den Morgenmantel fallen, und während sie sich mit erstaunlicher Leichtigkeit drehte, um sich von allen Seiten zu zeigen, ging der Wirt nach vorn, er trat ans Podest und rief: »Meine Herren, jetzt sind Sie an der Reihe. Frau Mona erwartet Sie. Wer sie besteigt, und wen sie nicht abwirft, bekommt sein Geld zurück.« Er hielt einen Hundert-Schilling-Schein in die Höhe. »Na, meine Herren, nicht so schüchtern, sie wird schon nicht beißen.«

Ein verlegenes Lachen, es kam von den Zivilschutzmännern in der vorderen Reihe, die die Köpfe zusammensteckten, der Pole blickte zu Boden, der Stauer kramte in seinen Taschen, als suchte er Zigaretten, ich selbst schaute mich scheinbar teilnahmslos um, ich blickte zur Couch, zum Waschbecken, zu den Strahlern hinauf, und Frau Mona tanzte, indem sie sich auf ihren Pumps, die sie als einziges anbehalten hatte, um sich selber drehte, dabei schüttelte sie wie eine Tamburinspielerin die Arme, bis ihre Fleischmassen (sie war dick, aber straff) von den Schultern abwärts in eine wellenförmige Bewegung gerieten, ein einziges Fleischzittern, Rollen und Beben. »Wie, meine Herren? Keiner?« Der Wirt schaute sich um, er machte ein überraschtes Gesicht und steckte den Geldschein in die Tasche. »Dann wird die Sache wohl an Ricki hängen bleiben.«

Ricki war wieder eingeschlafen, jedenfalls sah ich seine Arme, seine Brust sich heben und senken. Jetzt stand er schwankend auf und entledigte sich seiner Jacke, er warf sie auf den Stuhl und schlurfte nach vorn, während plötzlich das Stöhnen von *Je t'aime* aus den Lautsprechern schallte. Im Gehen öffnete er den Gürtel, zog das Hemd über den Kopf und sprang – ein matter Satz, bei dem er beinahe umgeknickt wäre, sich aber im letzten Moment fing – aufs Podest, wo er von Frau Mona mit einem Klaps auf den Hintern empfangen wurde, dann tanzte sie weiter, während er herumstolzierte und die Muskeln anspannte, er winkelte die Arme an und machte zwei Fäuste, dabei war er so mager, bloß Haut und Knochen, dass man seine Rippen einzeln hervortreten sehen konnte. Der Pole blickte längst wieder hoch, und der Stauer hatte die Suche – wonach auch immer – aufgegeben, saß da und schaute nach vorn, wo sich Frau Mona hingekniet hatte und ihre Hände auf Rickis Hose legte, während dieser noch immer die Arme angewinkelt vom Körper wegstreckte und ins Dunkel der Stuhlreihen grinste, erst als Frau Mona seine Hose öffnete und sie ihm über den Hintern schälte, gab er das Posieren auf, fasste in ihr Haar und drückte ihren Lockenkopf – sie hatte schwarze Locken, während ihr Schamhaar abrasiert war – zwischen seine Beine, die Hose kringelte sich auf seinen Stiefeln, und die Unterhose, ein gepunkteter Slip, hing ihm über den Knien, die er ein wenig eingeknickt hatte, wie um sich Frau Mona entgegenzubiegen, die hielt ihre ballonartigen Brüste mit beiden Händen und rieb sie an seinen Schenkeln, er hatte einen Halbsteifen, man sah es gleich, als sie seine Hose runterzog, ein riesiges Ding, er stieß sein Becken vor, so dass es wie ein Tauende hochflog und niedersauste und ihr Kinn, ihre Stirn, ihre Nase streifte, fast schien es, als prügelte er auf sie ein, sie schnappte danach, bis sie es endlich erwischte und in ihrem Mund unterbrachte, und nun sah man, wie sich ihre Backen füllten, ihr rundes Gesicht schien noch einmal an Umfang zuzunehmen, ihre Hände umfassten seine Eier, sie hatte ihre Brüste losgelassen und die Hände zwischen seine Beine geschoben, die er so weit auseinander gestellt hatte, dass der Slip, der sich zwischen seinen Knien spannte, zu zerreißen drohte, das Gummi schnitt in seine Haut, plötzlich stieß er sie weg, und als hätte sie darauf gewartet, rollte sie sich auf den Rücken und streckte die Beine hoch, während sie mit beiden Händen ihre Schamlippen auseinander zerrte, so dass wir, wie in einen Fleischladen, in ihr sonst wohl von schwellenden, sich überlagernden Fettpolstern verschlossenes Inneres blicken konnten, sie hielt es uns hin, während ihre Augen an Ricki vorbei ins Dunkel gingen – ja, auch daran erinnere ich mich in der Schwärze des Kalidamms –, sie lag flach auf dem Rücken, die Beine nach oben, plötzlich hob sie den Kopf und ließ einen ernsten, prüfenden Blick über das Publikum gleiten, eine Sekunde lang ruhte ihr Blick auf jedem von uns, wir starrten sie an, und sie starrte zurück ins Dunkel, dann sank ihr Kopf herab, und ein Ächzen ertönte.

Rickis Glied hatte sich aufgerichtet, es war noch länger, hatte aber an Umfang verloren, ja, es war dünner geworden, als hätte eine Umverteilung zwischen Dicke und Länge stattgefunden, er zeigte es uns, das heißt, er zeigte uns, dass es stand, indem er sich zur Seite drehte, als wollte er sagen: Seht her!, ehe er sich auf die Knie niederließ und den Kopf zwischen Frau Monas Beine tauchte, sein Slip hing auf den Jeans, aus denen die Stiefel schauten, die Hacken ragten in die Luft, während sich die Spitzen, als er sie zu lecken begann, in den Boden schraubten.

Draußen war es ganz klar, die Klarheit der Nacht, der Himmel war übersät mit Sternen, der Regen hatte aufgehört, der Wind war eingeschlafen, die Lagerhallen hatten scharfe Konturen, und in den Gassen hing der schwarze Geruch der Kanäle. Die beiden Zivilschutzmänner überquerten die Gasse und verschwanden im Durchlass zweier Häuser, die oben mit den Giebeln aneinander stießen; der Pole stellte den Kragen hoch und ging rasch – ohne mich anzusehen oder auf mich zu warten – in Richtung der Kais, und der Stauer steuerte auf eine Gasse zu, die zur Seite wegführte. Der Pole und ich hatten denselben Weg, doch nach kurzem Zögern ging ich dem Stauer nach, langsam, auf den Abstand achtend, denn ich hatte keine Lust, mit ihm zu reden. Als uns der Wirt die Tür aufhielt – »Meine Herren, beehren Sie uns bald wieder!« –, hatte er gefragt, wo hier noch etwas offen wäre. »Wohin jetzt? Wohin gehn wir jetzt?« Wobei er in die Runde schaute. Hatte ich mich getäuscht? Wenn er Stauer war, arbeitete er hier und hätte die Gegend gekannt, kennen müssen, aber seine Kleidung, seine Haltung, seine Hände, nein, er war Stauer, aber genauso gut konnte er natürlich von einem der Kähne stammen. Wie auch immer. Ich hatte keine Lust, mich seiner plötzlich erwachten Schwatzlaune auszusetzen.

Er ging ein wenig schwankend, einmal blieb er stehen und lehnte sich an eine Wand, ich blieb ebenfalls stehen, um ihn nicht einzuholen, und als er weiterging, zündete ich die Zigarette an, die ich in der Hand gehalten hatte, ich hatte sie nicht angezündet, damit er nicht durch das Licht auf mich aufmerksam wurde, es war ja ganz dunkel, die Peitschenlampen waren gelöscht, und selbst die Strahler, die sonst Tag und Nacht über den Firmenschildern brannten, waren aus einem unerfindlichen Grund abgeschaltet. Und es war still. Das einzige, was man hörte, waren unsere Schritte, seine und meine, die ich nach und nach mit seinen in Einklang zu bringen suchte, mehr und mehr fielen unsere Schritte in eins, so dass bald ein einziges Tappen durch die Gasse hallte. Es war, als gingen wir unter einer riesigen Kuppel, die uns beschirmte, bis ich von dem Geruch aufgeschreckt wurde, der Kanalgeruch, nein, nicht der des Kanals, an dem der Kahn meines Großvaters gelegen hatte, ein anderer – ein fauliger, brackiger Geruch, als seien wir unversehens in das Tunnelsystem der Abwässer geraten.

Der Stauer oder Schiffer hielt sich parallel zum Fluss, dann bog er ab und wankte die Gasse hinunter, zum Platz mit dem Gebäude, in dem ich mit dem Hafenmeister gesessen hatte, und als er abbog (oder besser: als ich es tat), wurde mir klar, woher der Geruch kam und woher das Geräusch, das ich für das Klopfen der Sterne gegen die Kuppel gehalten hatte: aus den höher gelegenen Gullys sprudelte Wasser und rann in sich zu Fächern erweiternden Strömen über das Pflaster, der untere Teil des Platzes war schon überflutet, ein leerer Sack hing in einer der die Silos verschließenden Ketten, und die Schrift am mittleren Tor war weggewischt oder untergegangen. Eine stille Flut, wie es dann in der Zeitung hieß. Die großen Unglücksschauplätze lagen woanders, in den Auen und Dörfern flussabwärts, in denen sich die Helfer zu Tausenden versammelt und in eigenen Zeltstädten eingerichtet hatten, während hier nur ein paar Sandsäcke hingekippt und übereinander geschichtet worden waren. Eine Überschwemmung, die vielleicht gänzlich unbemerkt geblieben wäre, wenn nicht anderntags die Schäden entdeckt worden wären, der Unrat, der Schlick, die in Auflösung befindliche Scheiße, die ein Fehler im Regulierungssystem, das bei Ausfall der Sperren nach dem Prinzip der kommunizierenden Röhren funktionierte, nach oben geschwemmt hatte, oder ein falscher (später vertuschter)

Tastendruck oder Handgriff, der die Schleusen geöffnet und den Fluss ins Kanalsystem geleitet hatte, ein Missgeschick vielleicht, das gleichwohl zur Folge hatte, dass mir der Rückweg abgeschnitten war – in dieser Nacht führte kein Weg mehr zum Fluss hinab, zu den Kais, den Kähnen.

Wir waren am oberen, noch im Trockenen liegenden Ende neben der Hafenmeisterei auf den Platz getreten und schauten auf die sprudelnden Gullys und die dunkle, ständig steigende Brühe, das heißt, ich schaute, der Stauer (oder Schiffer) hatte sich auf der Treppe der Hafenmeisterei niedergelassen und sah mir entgegen. »Mein Bruder, komm her! Wo können wir etwas trinken?« Dann rückte er zur Seite, um mir zu bedeuten, dass ich mich setzen solle. Die eine Hand steckte in seiner Tasche, die andere hielt er vors Gesicht. »Gib mir eine Zigarette!« Ich pulte eine hervor und warf sie ihm zu. Er fing sie blitzschnell auf, indem er die Hand vorstreckte. »Setz dich!« Doch ich ging an der Hafenmeisterei vorbei und bog in eine mit einer dünnen Schlammschicht überzogene Gasse ein, die nach oben führte, bergan. Und wieder war das – wie ich jetzt wusste – aus den Kanälen heraufdringende Klopfen da, das Klopfen aus den Kanälen, die ihr Inneres auf den Platz erbrachen, und in dieses sich mit der Entfernung vom Platz ausdünnende Geräusch hinein hörte ich Schritte. Der Stauer oder Schiffer? Kam er mir nach? Ich drehte mich um, nein, die Gasse war leer, die

Mondsichel war aufgegangen, die Sterne waren weiße Punkte, links und rechts erhoben sich Speicher, die bald von kleineren Gebäuden abgelöst wurden, einer Reihe von aneinandergebauten Schuppen, voraus schob sich das Rampendach über die Straße, es lag zur Rechten, während zur Linken dünne Lichtstreifen durch die Bretterritzen stachen.

Die Lampen brannten, es gab wieder Strom. Oder war er hier oben, ungefähr auf Höhe des Gasthauses, gar nicht ausgefallen? Und als ich mein Auge ans Fenster legte, sah ich wie am Nachmittag zwei Hände, die den Engel drehten, und danach erst die Frau, der die Hände gehörten, sie saß auf einem Stuhl und betrachtete den Engel, an dem die Papierstreifen klebten. Nachdem sie sich zurückgelehnt hatte, legte sie die Hände im Schoß zusammen, und ihre Lippen bewegten sich, als ob sie zu ihm spräche, dann stand sie auf, löste einen der Streifen ab, schob das daran haftende Bröckchen Holz oder Farbe auf ein Glasplättchen, rückte es unter das Mikroskop und schaute durch die Okulare.

Heute weiß ich, dass man die Holz- oder Farbbröckchen Schollen nennt. Der Restaurator, der mir Monate später die Sache erklärte, sagte, manchmal sei es so, dass die Schollen einfach nicht hielten. Man löste die locker sitzenden Teile vom Holz, säuberte sie, bestrich sie mit Leim, setzte sie ein und legte zur Sicherung einen Papierstreifen darüber, aber wenn man ihn abnahm, fielen sie einem wieder entgegen. Warum? Vielleicht war das Objekt großer Hitze ausgesetzt gewesen, oder manchmal hatten die alten Meister auf das Holz eine in Kreide gebettete Silberschicht aufgetragen, um die Farbe zum Leuchten zu bringen. Die Kreide war das Problem, sie verband sich nicht mit dem Leim, sie hatte durch den Jahrhunderte währenden Einfluss von Hitze, Feuchtigkeit, Trockenheit, Kälte eine schwer bestimmbare Konsistenz angenommen. Oft suchte man monatelang nach einer Lösung, ohne ihr einen Schritt näher zu kommen, es gab Probleme, die sich der Lösung entzogen. Das weiß ich heute, aber damals sah ich bloß ihren Rücken, sie beugte sich vor, richtete sich auf, und als sie sich umdrehte, hob ich die Hand und klopfte gegen die Scheibe. »Entschuldigung!« Sie war noch wach, sie stand innen, ich außen. Draußen war es kalt, vielleicht dass ich hineingehen, dass wir uns unterhalten könnten.

Schon beim ersten Klopfen ließ sie das Glasplättchen fallen, gleichzeitig tat sie einen Schritt zur Seite, so dass ich direkt ins Lampenlicht schaute, und als ich glaubte, sie sei in die dunkle Raumhälfte hinübergegangen, hörte ich ihre Stimme. Die Frau war an die Wand neben dem Fenster getreten und rief: »Es ist noch nicht Freitag.« Es war zwei Uhr am Morgen. »Sie irren«, erwiderte ich, »Freitag ist heute.« Und wusste doch, dass es sinnlos war, mit ihr zu streiten. Selbst wenn ich mit Engelszungen redete (was ich nicht kann), würde sie sich weigern, die Tür aufzuschließen, und als ich vorschlug, draußen zu bleiben und mit ihr durchs Fenster zu reden, wurde innen das Licht gelöscht, und ich hörte: »Gehen Sie wieder.«

Da wandte ich mich ab und ging weiter, die Gasse hinauf, und hörte noch eine Weile diesen aus der Entfernung bald wie ein Plätschern klingenden Singsang – Freitag, Freitag –, der sich in einer Endlosschleife drehte, und als ich an eine Kreuzung kam, die die Gasse teilte, sah ich den Stauer. Er beugte sich zum Fenster eines Autos hinab, das in einer Einfahrt gehalten hatte, eine große Limousine mit getönten Scheiben, das Fenster glitt lautlos hoch, der Stauer oder Schiffer drehte sich um, und ich sagte: »Wie bist du denn hierher gekommen?« Er blickte, ohne zu antworten, herüber, ein mittelgroßer Mann, Ende vierzig, hartes Gesicht, rissige, aus den Joppenärmeln baumelnde Hände, er trug eine graue, den Kopf fest umschließende Mütze, die er auch im Gasthaus nicht abgesetzt hatte.

Weshalb ich mich, verehrte Damen und Herren – ja, jetzt erinnere ich mich an den Wortlaut des Briefes, den ich Wochen später in Pressburg geschrieben habe –, *da ich eben erst aus der Zeitung von dem Verbrechen erfahre, möchte ich Ihnen mitteilen, was ich in dieser Nacht beobachtet habe*. Übrigens hatte der Stauer oder Schiffer die betrunkene Geschwätzigkeit abgelegt und eine drohende

Haltung angenommen. Das schrieb ich nicht, aber das ist mir später durch den Kopf gegangen: dass er sich in den zehn Minuten, die zwischen unserer Begegnung vor der Hafenmeisterei und dem Wiedersehen an der Kreuzung lagen, völlig verändert hatte. Er stand reglos da und betrachtete mich aus verengten Augen, als wisse er nicht, was er mit mir anfangen solle oder als warte er auf ein Zeichen aus dem Innern des Autos, in das ich nicht hineinschauen konnte. Ich kann nicht sagen, wie die Leute aussahen, die darin saßen, oder wie viele es waren. Das Mondlicht glänzte auf dem schwarzen Lack. Einmal glaubte ich, das Glimmen einer Zigarette zu erkennen, ein roter Punkt leuchtete hinter dem Fenster auf und erlosch dann wieder.

Das war am 19. März, Freitag, morgens gegen halb drei. Das Datum weiß ich deshalb genau, weil ich die Überschwemmung des unteren Hafens im Bordbuch festgehalten habe. Gegen Mittag hatte sich die Brühe so weit zurückgezogen, dass ich trockenen Fußes an Bord gelangte, in der Speicherstadt klebte der Dreck meterhoch an den Wänden, und in der Luft hing Gestank ... er war so widerlich, dass Herbert in der Maschine blieb und erklärte, er müsse Reparaturen durchführen, bloß, damit ich ihn nicht für die Arbeit an Deck einteilen konnte, Mirko hatte ständig eine qualmende Machorka im Mund, er hielt sie so, dass der Rauch die Innenseiten der

Nase betäubte, ich atmete flach, und als ich am Abend durchs Fenster blickte, sah ich, dass sich der Pole ein Tuch vors Gesicht gebunden hatte, während er unter der Verladebrücke hindurch in Richtung Hafenmeisterei oder Gasthaus marschierte.

Das war am Freitag, und am nächsten Tag, Samstag, bin ich weggefahren. Die Reederei erwartete meinen Bericht. Die drei Schiffe, die sie unterhielt, waren in Österreich gemeldet, während sie ihren Sitz, ein kleines Büro, in einer niederrheinischen Kleinstadt hatte. Ich fuhr die ganze Nacht mit dem Zug. Mirko, dem ich den Kahn übergeben hatte, rief jeden Abend an, um mich (oder besser: den Reeder, ich sprach nicht selber mit ihm) über die Lage auf dem Laufenden zu halten, und Anfang April, als es hieß, nun sei täglich mit der Freigabe des Schiffsverkehrs zu rechnen, erhielt ich den Auftrag, nach Wien zurückzukehren.

Ja, Anfang April war das Hochwasser so weit zurückgegangen, dass wir endlich auslaufen konnten, das Wasser stand noch in den Wiesen, aber die Fahrrinne war frei, sie war mit Tonnen markiert, die in kurzen Abständen auf dem Wasser lagen. Wir fuhren mit halber Kraft, um keinen Wellengang zu erzeugen, der den Schäden am Ufer weitere hätte hinzufügen können, aber die Strömung war so stark, dass wir in rascher Fahrt talwärts gezogen wurden; das Wasser hatte eine ungesund lehmbraune Färbung, und in den Kronen der Bäume, die aus dem Wasser ragten, saßen Scharen von Kormoranen. Ich betrachtete sie durch das Glas, große, schwarze Vögel, die sich mit kurzem, hartem Flügelschlag in die Luft erhoben, um plötzlich aufs Wasser hinabzustoßen.

Mirko saß hinter mir auf der Brücke, und nachdem wir in Pressburg festgemacht hatten, sprang er, ohne den Steg zu benutzen, an Land, gleich darauf sah ich ihn in eine Gasse zwischen den Häusern einbiegen, und als ich Herbert fragte, was das zu bedeuten habe, zuckte er mit den Schultern und gab zurück: »Schiffer, er ist Kroate.« Er stand auf dem Kai neben dem Poller, um den er die Leine geschlungen hatte. Später Nachmittag, die Sonne schien über den Dächern, vor einem Lagerhaus saßen zwei Mädchen, die die Beine auf einen Stuhl gelegt und die Röcke hochgeschoben hatten. Herbert schaute zu ihnen hinüber, er öffnete den Mund, wie um etwas zu sagen, winkte dann aber ab, stapfte über den Steg und öffnete die Tür zur Maschine. Ich ging in meine Kammer, schlug das Bordbuch auf und notierte: 7. April, Pressburg, Poszony, Bratislava – dasselbe Datum, das der Brief trug, den ich am Abend geschrieben, aber nicht abgeschickt habe, ja, jetzt sehe ich mich in der Kammer, wie ich da saß und auf das Zeitungsfoto starrte.

Mirko kam gegen halb acht zurück. Es war noch hell, hatte aber bereits zu dämmern begonnen, seine Jacke leuchtete vor den rußschwarzen Häusern, die, gegenüber der Anlegestelle, an der Straße standen. Er trug die gelbe Kunstlederjacke, sie war mit unzähligen Taschen besetzt, aus denen er, als er auf die Brücke kam, verschiedene Gegenstände kramte, er knöpfte die Taschen auf, zog sie heraus und legte sie auf dem Kartentisch nebeneinander: eine Rolle braunes Klebeband, eine Nagelschere, eine Handvoll verbogener Nägel, einen Korkenzieher, eine schmale, silbern glänzende Zange. Ich sagte: »Mirko, was soll das? Wo warst du? Warum bist du weggegangen?«

Er beugte sich über den Tisch, ich sah seinen Rücken, seinen Hinterkopf, seine borstigen Haare, dann drehte er sich um und ging an Deck, vor zur ersten Luke, wo er sich an eine Kiste lehnte. Und nun bemerkte ich am Ende der Reihe von Gegenständen, die er auf den Tisch gelegt hatte, die Zeitung, es war der *Kurier*. Mirko hatte die Seite aufgeschlagen, so dass ich das Foto nicht übersehen konnte. Ich schaltete die Lampe am Kartentisch ein, richtete sie auf das Bild und ging dann hinaus, um ihn zu fragen: Mirko, woher hast du die Zeitung? Aber er stand nicht mehr da.

Die Zeitung trug das Datum vom 23. März, Dienstag. Ich wollte ihn fragen, ob es Zufall war, dass er sie aufgehoben hatte. Er war auch nicht in seiner Kammer. Auf dem Foto waren ihre Augen halb geschlossen, sie schaute den Betrachter aus halb geschlossenen Augen an und schien denselben Kittel und dasselbe Stirnband zu tragen, doch beim zweiten Hinsehen wurde klar, dass Stirn- und Halspartie abgedeckt waren, über der Stirn und dem Hals lag ein Tuch ... und über dem Gesicht eine Art Schleier, als handelte es sich um eine Rekonstruktion oder als sei das Foto retuschiert worden, um dem Betrachter die Einzelheiten zu ersparen. In dem Artikel hieß sie *die Unbekannte*: Unbekannte Frau in den Räumen der in den sechziger Jahren aufgelassenen Seilerei Wotruba tot aufgefunden, Alter zwischen 35 und 40. Die von der Decke hängenden Ketten wurden nicht erwähnt, so wenig wie das Matratzenlager, die Tische, das Werkzeug, die Lampe, der Heizofen, der Engel, dafür hieß es, der Boden sei so sauber gewesen, als sei er gefegt und mit Wasser abgespritzt worden, und in einem Abfluss neben der Tür hätten zerknitterte, gleichmäßig geschnittene Papierstreifen gelegen; der Tod sei in den Morgenstunden des Freitags eingetreten.

»Herbert, hast du Mirko gesehen?«

Er schüttelte den Kopf, er hockte auf dem Poller und blickte zu dem Haus hinüber, vor dem die Mädchen gesessen hatten. Also schloss ich die Brücke ab, ging in meine Kammer und räumte den Schreibtisch frei.

Mittwoch, 7. April, Verehrte Damen und Herren, wie ich eben erfahre. Dann strich ich den Satz wieder durch und begann noch einmal von vorn ... *da ich eben erst ... möchte ich Ihnen.* Der Tisch stand am Fenster, inzwischen war es ganz dunkel geworden, die Lampe warf einen weißen Kreis auf das Papier. Einmal (gegen zehn, ich schaute auf die Uhr) kam ein Hubschrauber mit eingeschalteten Scheinwerfern so dicht über den Fluss, dass ich sah, wie die Rotoren das Wasser aufpeitschten – in der Luft war dieses Flappen und Dröhnen –, und zog erst im letzten Moment, als es schon schien, er würde gegen die Dächer prallen, nach oben, dann war es wieder still, so still, dass man das Knacken des Schiffes hörte, das Atmen des Schiffes, es dehnte sich aus, zog sich zusammen, und das Wasser schwappte gegen die Wandung. Ich schrieb langsam: Das Gewitter, die Überschwemmung, der Stauer, die Kreuzung, das Auto. Dann lehnte ich mich zurück und verschränkte die Hände im Nacken, und im selben Moment sah ich im Dunkel des Fensters den roten Punkt aufleuchten, die Zigarette glühte auf, erlosch, und Mirko sagte: »Morgen ist Freitag.«

Das Fenster stand einen Spalt offen. Ich wollte erwidern: Du irrst, aber es stimmte, er hatte Recht, Mitternacht war vorbei, der Donnerstag hatte angefangen. »Schiffer, ich will dir nicht drohen, aber wir haben dich in dieser Nacht in der Nähe der Werkstatt gesehen und wissen nicht, was wir davon halten sollen.« Ich ging hinaus, um mit ihm zu reden, aber er war nicht mehr da, er stand auf dem Kai, zwei Lastwagen hielten, ein Mann kam an Bord, drängte sich an mir vorbei, huschte vor zur ersten Luke und begann, mit einer langen Zange die Stahlseile über den Holzkisten durchzuschneiden. Da kehrte ich um, ich ging wieder in meine Kammer, schrieb die Adresse – sachdienliche Hinweise erbeten an – auf einen Umschlag, steckte den Brief hinein, klebte ihn zu und zerriss ihn in kleine Stücke.

10
DER SCHLÜSSEL

Der Bus schlich sich aus den Wolken hervor, die den gar nicht so hohen Bergrücken verhüllten, kroch die Serpentinen herab und verschwand hinter den Bäumen, um nach einer Weile auf dem Wegstück darunter wieder aufzutauchen. Ich hockte am Steilhang und stemmte die Hacken ins Gras, um nicht abzurutschen, und nun sah ich, dass es ein blauer Linienbus war, einer der blauen Linienbusse, wie sie in der Gegend, in die es mich verschlagen hatte (obwohl nicht sie es war, denn diese war flach), zwischen den Dörfern verkehrten. Er verschwand erneut, um aus der entgegengesetzten Richtung zurückzukommen, und als er heran war, auf gleicher Höhe mit mir, erkannte ich ihn. Es war der Bus, den wir beim Trafohaus bestiegen hatten. Er kam so nahe vorbei, dass ich das Gesicht des Fahrers sah, dessen Hände wie nasse Lappen auf dem Lenker lagen, in den Reihen dahinter die Dorfleute, auch Werner und Maren, schließlich mich selbst, uns alle sah ich auf der abschüssigen Straße vorüberfahren – während ich die Stimme meines Großvaters hörte. »Denn er kann reisen durch Deutschland, durch Polen, durch Russland nach Asien hinein durch die

Muhamedaner und Heiden, vom Land aufs Wasser, vom Wasser wieder aufs Land, immer weiter.« Er las aus dem Buch, mit dessen Hilfe er mir die Welt zu erklären pflegte, doch als ich mich umdrehte, sah ich nicht ihn, sondern einen Strauch, aus dem die Worte angeflattert kamen –

Als ich die Augen aufschlug, ich war wohl eingenickt, war es dunkel geworden, dunkel draußen und dunkel im Bus, die Strahler über den Sitzen waren ausgeschaltet, und es waren nur noch die bunten, durch den Mittelgang glühenden Lämpchen des Armaturenbretts da, und natürlich die Scheinwerfer, die ihr Licht ein Stück voraus auf die Straße warfen. Der Regen trieb in unregelmäßigen Stößen heran, mal schien es, als setzte er aus, dann war momentlang das Brummen des Motors zu hören, das Singen der Reifen; plötzlich prasselte es wieder herab, als würfe jemand kleine Kiesel aufs Dach, und die Blätter der Scheibenwischer, die eine Weile ins Leere gefasst hatten, schoben das Wasser zur Seite.

Die Armbanduhr zeigte zehn, zehn Uhr am Abend, gar nicht spät, aber die Leute, die seit dem Morgen auf den Bus gewartet hatten, der nicht kam, der erst am späten Nachmittag kam, dann in endlosen Schleifen über die Dörfer fuhr, bevor er auf die Autobahn bog, lagen in ihren Sitzen und schliefen; das Gemurmel, mit dem sie ihrem Unmut über den Fahrer Ausdruck gegeben hatten, war verstummt, stattdessen stiegen einzelne Seufzer auf, wie aus schweren Träumen, und der Fahrer selbst gab ein paar Laute von sich, die man als Flüche deuten konnte, mir aber lieber waren als das Schweigen, in das er sich vorher gehüllt hatte. Er war von der Einsatzleitung geschickt worden, um uns in Sicherheit zu bringen. In unserer Situation wünschte man sich Klarheit, Freundlichkeit, Zuspruch, doch merkten wir rasch, dass dies eine Erwartung war, der dieser weder große noch kleine Mann – aus Erschöpfung, Unkenntnis oder auf Grund seines Wesens – nicht entsprechen konnte. Er hatte ein verwischtes Gesicht mit wässrigen Augen, von denen man nicht wusste, ob sie ihr Gegenüber deutlich erfassten oder es nicht bloß wie durch einen Schleier (oder Wasserfilm) sahen. Die einfachsten Fragen – Fahrtroute? Zielort? Ankunftszeit? – prallten an ihm ab, oder besser, versanken in ihm wie ein in Schlammwasser geworfener Stein, ohne die geringste Spur zu hinterlassen. Dass er fluchte, bedeutete vielleicht, dass er aus seiner Taubheit erwachte und sich selber fragte, warum er uns nicht längst in einer der uns am Rand des Überschwemmungsgebiets versprochenen Notunterkünfte abgesetzt hatte.

Ich stand auf und ging nach vorn, um ihn zu fragen. Er musste doch wissen, wie weit es noch war. Aber er deutete hinaus, wie um zu sagen: Sie sehen doch selbst. Dabei sah ich nur, dass sich die Lage gründlich verändert hatte. Regen? Ja. Aber stoßweise jetzt, mit größeren Pausen dazwischen, wohingegen es vorher ohne Unterbrechung geschüttet hatte. Und was die Beschaffenheit des Weges betraf – nach unserer Abfahrt war es so, dass wir, kaum bogen wir in eine Straße ein, nach wenigen Kilometern schon vor einer Wasserbarriere standen. Dann wendete er, fuhr zurück, und wenn wir dachten, es geht voran, freie Fahrt, fiel die Straße unmerklich ab und führte erneut in eine mit Wasser gefüllte Senke hinein, aus der wir die von Unrat umspülten Dächer eines Dorfes ragen sahen. Nun aber rollten wir geradeaus, und es gab keinen Grund mehr, Wetter und Weg als Entschuldigung für ausbleibende Ankunft ins Feld zu führen. Ab und zu kamen uns Autos entgegen, und wenn ich mich nicht täuschte, waren einmal auch die Lichter einer Stadt zu sehen gewesen.

»Wie weit noch? Wann kommen wir an?«

Aber er presste die Lippen zusammen, das heißt, so weit bei diesem unklaren Mann von einer entschiedenen Mundbewegung die Rede sein konnte. Es war mehr ein Aufeinandertreffen der Lippen, die, wieder sich öffnend, ein Schmatzen von sich gaben. Und als ich zurückging, sah ich Maren. Ihr Kopf war auf die Schulter gesunken, ihre Augen waren geschlossen, ihre Hände lagen zwischen den zur Seite gedrehten Beinen, so dass ich mir vorstellte, wie ihre Rücken die Innenseiten der Schenkel berührten.

Werner saß auf der anderen Seite des Gangs. Seine Hand hing herab, und ich zweifelte keinen Moment daran, dass er sie vorm Einschlafen nach ihr ausgestreckt hatte. »Maren«, wird er gesagt haben, »Maren, geht es dir gut?« Wie am Tag meiner Ankunft im Dorf, an dem wir am Zaun standen und er sie rangewinkt hatte. »Maren, unser neuer Nachbar!« Sie kam, gab mir die Hand, das heißt, ihre Hand stieß an meiner vorbei, eine lange knochige Hand, die an meiner vorbeifuhr und mit einem kurzen Griff mein Handgelenk packte, dann drehte sie sich um und ging zu den Ställen, die auf der anderen Hofseite lagen; noch jung, vielleicht Ende dreißig, eher klein, dünn, strähniges Haar, das ihr Gesicht zur Hälfte verdeckte; Jeans, grauer Pullover, an den Füßen Stiefel (noch nicht die Gummistiefel von später, sondern welche aus Leder), Stadtstiefel, deren Reißverschlüsse bis zu den Knöcheln runtergezogen waren, so dass die Schäfte über das Pflaster schlappten. Ihr Mann schaute ihr nach. Er war kräftig gebaut und hatte in dem sonst rissigen Gesicht unter den Augen zwei blanke Stellen, die wie Spiegel glänzten und aus denen ich mich, als er den Kopf wandte, verschwinden zu sehen wähnte. »Maren«, rief er, »Maren, geht es dir gut?« Am Nachmittag desselben Tages hatte es an meiner Tür geklopft, und als ich öffnete, war sie hereingekommen, und am nächsten Tag auch.

Das war Anfang Oktober. Regen? Ja. Aber Nieselregen, und man glaubte noch, das höre irgendwann auf, während es tatsächlich der Anfang war, der Anfang der Regenzeit, an dessen Ende (wenn es das Ende war) wir den Bus bestiegen haben.

»Werner«, sagte ich, als ich an ihnen vorbeikam, »Werner.« Aber er schlief, schlief mit offenem Mund, seine Hand hing herab, während ihre Hände zwischen den zusammengestellten Beinen lagen.

Vor drei Tagen hatte ich zu ihrem Haus hochgeschaut. Ich war gegen zwei, zwei Uhr nachts, vom Kalidamm zurückgekehrt, die einzige Straße, die noch nicht unter Wasser stand, und als ich eben die Zauntür aufstieß, hörte ich ein hartes Geräusch, ein Klappen, drehte mich um und sah, dass es vom Nachbarhaus kam. Ein Fensterladen hatte sich aus der Verankerung gelöst und schlug gegen die Wand, dann pendelte er zurück, ein neuer Windstoß kam, und der Laden trieb wieder gegen die Wand. Nach einer Weile ging das Fenster auf, eine Hand langte raus, zog den Laden ran, der Riegel rastete ein, das Fenster wurde geschlossen, und es war wieder still, bis auf das Rauschen des in Böen über den Platz treibenden Regens, das so selbstverständlich geworden war, dass es wie der eigene Pulsschlag dazugehörte. Und als ich da stand, spürte ich, wie es sich in mir dehnte, unwillkürlich schlug ich die Arme vor die Brust, um zu verhindern, dass es mich in lauter kleine Stücke zersprengte. Schon seit Wochen war ein Ziehen und Zerren in mir. Die eine Stimme sagte: Geh!, die andere: Bleib!, wie ich es nur vor größeren Abschieden kannte; ein Wünschen und Gegenwünschen, ein Sichdehnen und Schrumpfen, das mich bald auseinander riss, bald zu einem Klumpen zusammendrückte; aber auch ein Sichdehnen und Schrumpfen der Zeit, eine Anspannung, die im Warten auf das jeweils nächste Klappen des Ladens eine kleine Entsprechung gefunden hatte. Ich schaute zum Fenster hoch und ging dann über den längst überfluteten kreisrunden Platz, und als ich durch die Zauntür trat, sah ich, dass das Wasser, das eine Stunde zuvor nur in den tieferen Stellen des Gartens stand, nun auch große Teile des zum Haus führenden Steinwegs bedeckte.

Am Tag darauf, 16. Dezember (künftig nachzulesen in jedem Handbuch der Überschwemmungen), drang die Brühe unter der Tür durch, worauf ich den bereits vor Tagen gepackten Koffer auf den Boden trug, ich wuchtete ihn die Leiter hoch, in den gerade hüfthohen Raum zwischen Dielen und Dach, in dem mein Vermieter – ein Städter, der es schön fand, ein Haus auf dem Land zu besitzen, das er dann nicht bewohnte – das wohl im ersten Begeisterungssturm von den Bauern gekaufte Gerümpel – Spinnrad, verrostete Sense, Tonkrüge – abgelegt und abgestellt hatte. Im Giebel gab es in Bodenhöhe ein lukenartiges Fenster, und dieses war es, an dem ich lag, während ich das Steigen des Wassers verfolgte: Am Mittag ging es bis zu den angeschrägten Spitzen des Zauns, am Abend hatte es die unteren Äste des Nussbaums erreicht, und als ich um Mitternacht die Taschenlampe aufblitzen ließ, war nur noch die Krone zu sehen. Das Wasser stieg, als presste jemand den Erdschwamm aus, der den Regen der letzten Monate aufgesogen hatte.

Gegen Mittag war der Strom ausgefallen. Das Telefon befand sich in einem der unteren Räume, in denen die Brühe, als ich zum letzten Mal einen Blick durch die Bodenluke warf, bis fast unter der Decke gestanden hatte. Am Nachmittag drang vom Dorf her Gepolter herüber, Motorengebrumm, metallisches Rasseln, dumpfes Aneinanderschlagen von Hölzern, Stimmen, »Heh, heh«, das Stampfen von Hufen, Türenklappen, alles drang wie durch mit Wasser getränkte Watte an mein Ohr, dann wurde es still, und es war nur noch das Getöse des durch den Garten rauschenden und über meinem Kopf auf die Dachschräge hämmernden Regens zu hören. Nun rächte sich, dachte ich, wie ich da lag, in diesem mit Wohnmüll gefüllten Zwischenraum, und durch die Luke in die fallende Dunkelheit schaute, nun rächte sich, dass ich mit keinem im Dorf – außer Werner und Maren – mehr als zwei, drei Worte gesprochen hatte. Wenn ich rausging, dann nachts, weshalb die Dorfleute vielleicht glaubten, ich sei so plötzlich, wie ich aufgetaucht war, wieder abgefahren, und gar nicht auf die Idee kamen, zu fragen: Wo ist der Mann, den wir manchmal gesehen haben?

Doch am Morgen pochte es an der Scheibe, und als ich raussah, stand Werner da, das heißt: er saß. Das Wasser stand eine Handbreit unter der Luke, und er saß in dem Boot, das auf seinem Hof gelegen hatte, eine aus Kunststoff gegossene Nussschale, flaschengrün, eine Art Kinderboot, ein Spielzeug, und rief: »Nimm deine Sachen.« Auf dem Kopf trug er einen dieser gelben Plastiksüdwester, wie man sie in den Souvenirläden von Seebädern findet, wo sie neben bemalten Muscheln, Buddelschiffen und gestreiften Pullis in den Regalen liegen. Die blanken Stellen unter den Augen, von denen zwei Tropfen zu den Wangenrissen runterrannen, waren so matt, als hätte die Nässe sich darauf niedergeschlagen.

»Nicht«, hatte Maren gesagt, als ich sie fragte, ob er nichts ahne. Nicht. Was nicht hieß, dass er nichts ahne, sondern, dass ich es lassen solle zu fragen. Und war dabei mit dem Finger über die verbrannten Stellen zwischen meinen Schulterblättern gefahren. Ich lag auf dem Bauch, und als ich mich umdrehte, begann dieses heftige Atmen, bei dem sich ihre Rippen unter den erstaunlich kräftigen Brüsten durch die Haut gedrückt haben. Es war fast dunkel, später Nachmittag, gegen fünf, Fütterungszeit, aus den Ställen das Rinderstampfen und Brüllen, und als sie sich vorbeugte, sah ich die Wunden, die sie sich beigebracht hatte, das heißt, die Narben, die von den Schnitten mit dem Rasiermesser an den Innenseiten ihrer Beine zurückgeblieben waren; rote Kerben, die, eine Handbreit unter dem Schritt beginnend, im Abstand von einem Zentimeter untereinander lagen, weshalb ich plötzlich dachte, dass das Schmerzzufügen eine Sache der Genauigkeit sei, bei der es nicht nur eines Schneidewerkzeugs, sondern auch eines Maßbandes bedurfte. »Maren«, sagte ich, aber sie hielt den Kopf gesenkt, ihr Haar hing herab, ihr Gesicht war verhüllt, ihre Finger zogen in immer größeren Kreisen über meine Brust, meinen Bauch, um schließlich zwischen meinen Beinen liegen zu bleiben. Und keine zwanzig Minuten danach sah ich sie unter den tropfenden Bäumen, durch die niedergebrochene Stelle im Zaun zum Hof ihres Mannes hinübergehen. Jeden Tag, so dass ich schließlich lange vor fünf auf die Uhr zu schauen begonnen habe.

»Gib her!« sagte Werner.

Ich reichte den Koffer durch die Luke, er verstaute ihn unter der Bank, und nachdem ich mich selbst hindurchgezwängt hatte, paddelten wir durch den Garten, über den versunkenen Platz, der den Eindruck des Kreisrunden völlig eingebüßt hatte (es schauten nur noch die Dächer hervor; der Briefkasten, die Kinderrutsche, das Feuerwehrhaus, die Anbauten, die Schuppen und Ställe waren fast gänzlich untergegangen), zur höher gelegenen Straße, auf die sich die Dorfleute geflüchtet hatten, die Zurückgebliebenen, die nicht schon tags zuvor mit dem Auto abgefahren waren. Sie standen in Grüppchen herum oder saßen auf ihren vorm Trafohaus unter einer Plane zusammengerückten Koffern und blickten auf das abgesoffene Dorf, dann hinüber zum Kalidamm, auf dem der Bus kommen sollte.

Neben dem Trafohaus fiel ein Asphaltweg zum Wasser hin ab. Die Kaliberge, die in den letzten Tagen eine beinahe tiefgraue Färbung angenommen hatten, lagen hinter einem kleinen, ebenfalls aus dem Wasser ragenden Wald, weshalb sie von der Straße aus nicht zu sehen waren; weit weg die Umrisse einzelner auf die Höhe von Büschen geschrumpfter Bäume, die den Lauf schmaler, im Frühjahr und Herbst Wasser führender, nun unter dem größeren Wasser verschwundenen Gräben zeigten. Der Regen kräuselte die Oberfläche des Wassers, das im Osten bis zum Kalidamm reichte, im Westen bis zu den Hügeln hinter der Chaussee, während es sich im Norden bis hin zu dem im Dunst verschwimmenden Horizont erstreckte. Nachdem Ende Oktober schon Schnee gefallen war, war es jetzt, Mitte Dezember, frühlingshaft warm. Wäre nicht der Regen gewesen, hätte man in einem leichten Pullover gehen können, aber so hatten die Dorfleute ihre gelben und blauen Gummijacken an, die ihnen einen seltsam fröhlichen Anstrich gaben – wie Wattwanderer, die es aus einem Urlaubstag am Meer auf diese Straße zwischen versunkenem Dorf und versunkenen Äckern geworfen hatte, erst wenn man ihre rundlichen Gesichter sah, ihre von Arbeit und/oder Suff gezeichneten, jetzt vor Kummer und Erschöpfung stumpfen Mienen, wusste man, dass sie nicht zum Jux hier oben versammelt waren, keine Urlauber, sondern Flüchtige. Auf den Querbalken ihrer Häuser stand: Herr, schütze uns vor dem Feuer, aber nun war das Wasser vom Himmel gefallen und aus den Erdritzen und Hohlräumen an die Oberfläche gestiegen.

Nachdem wir das Boot auf die Straße gezogen hatten, ging Werner zu Maren, die auf einem Klappstuhl saß, den sie offenbar mitgebracht hatte. Sie trug einen schwarzen Gummimantel, in der Hand den Schirm, von dessen Rand die Tropfen wie Perlenschnüre zu Boden fielen, und schaute herüber; sie schaute uns an, und als er die Hand auf ihre Schulter legte, griff sie danach und führte sie an den Mund, den sie leicht geöffnet hatte. Er stand hinter ihr, außerhalb des Schirms. Der Regen rann über den Kindersüdwester und floss an seiner Gummijacke herab, um dann in die oben zu weiten Stiefel zu tropfen, während sie seine Hand hielt, die sie, ohne den Blick von mir zu lassen, mit träge hingetupften Küssen bedeckte, fast wie an jenem Nachmittag – nur dass an jenem ich es war, dessen Hand sie gehalten, und er derjenige, den sie angeschaut hatte.

Sie war wieder gegen fünf herübergekommen, und als sie auf mir saß, ich in ihr, drückte sie meine Schultern mit einer solchen Gewalt zurück, die ich der dünnen Person nicht zugetraut hätte, um sich plötzlich kerzengerade aufzurichten. Ihre Beine, die mich wie ein Schraubstock umfingen, öffneten sich, so dass ich die, zwei winzigen Leitern gleich, zu ihrem Mittelpunkt führenden Narbenstriche sah. Dann nahm sie meine Hand und jenes träge, gedankenverlorene Küssen begann, während ihre Augen über mich hinweg zum Fenster gingen. Und als ich den Kopf wandte, merkte ich, dass nicht ich es war, dem das Küssen galt, sondern ihr Mann, der seine Stirn an die Scheibe drückte. Er stand unter dem Dachvorsprung und schaute herein, während sie auf mir saß und meine Finger mit hingetupften Küssen bedeckte. »Maren«, flüsterte ich. »Maren, nicht«, worauf sie, das Gewicht verlagernd, ihr Schambein an meines presste. Ihre Augen blickten zum Fenster, während unten, scheinbar ohne ihr Mittun, das Zusammenziehen und Loslassen ihres mich bis zum Schaft umfassenden Muskelrings passierte, dieses tief innen stattfindende Drücken, Reiben, Massieren, bei dem mich das Wissen um ihn verließ, um erst danach langsam zurückzukehren. »Maren«, sagte ich wieder, »Maren«, schob sie herab, drehte mich um und sah, dass er noch immer da stand, oder besser, in dem Moment, in dem sich unsere Blicke trafen, einen Schritt zurücktat und ins Dunkel tauchte.

Am Tag darauf hab ich das Haus verschlossen gehalten. Sie drückte die Klinke herab, doch ich rief, dass sie weggehen solle, und als ich in der Nacht durchs Dorf ging, kam er mir nach. »Thomas«, flüsterte er, »Thomas.« Er ging neben mir her und flüsterte: »Wenn du bereit wärst, die Tür wieder offen zu lassen, Thomas.« Seine Stimme schmiegte sich an mein Ohr. Doch ich ging schneller und schneller, schließlich blieb er zurück. Es war Ende Oktober, die Luft roch nach Schnee, und tatsächlich fielen, als ich auf den Asphaltweg bog, erste Flocken, sie wehten mir in Form kleiner Eiskristalle entgegen, die in den Haaren, den Bartstoppeln, in den Hautfalten, an der Jacke hängen blieben, so dass ich wie ein Schneemann aussah, als ich zurückkam, gegen zwei, zwei Uhr nachts, und als ich die Hand auf die Klinke legte, stieß ich an etwas Hartes, das gegen das Türholz klirrte. Ich machte Licht und sah, dass es der Schlüssel war, den jemand mit dem Lederband über die Klinke geschoben hatte, derselbe, der ihr einmal aus der Hose gefallen war, groß, eisern, rostfleckig, schwer, Schließwerkzeug eher als Schlüssel, das sie, als ich es aufhob, rasch in die Tasche zurückgestopft hatte. Ich nahm ihn mit ins Haus, um ihn am nächsten Morgen an ihre Tür zu hängen, doch dann ist er, weil ich mich scheute, ihren Hof zu betreten, in der Diele liegen geblieben; wochenlang lag er auf dem Tischchen neben der Garderobe, manchmal ging meine Hand dorthin und zuckte wieder zurück, bis zu jener Nacht, Ende November, in der ich ihn dann doch in die Hand genommen habe.

Nun tauchten in immer kürzeren Abständen die Lichter von in Sichtweite der Autobahn liegenden Orten auf, bald die kleinerer Dörfer, die ein einsames Flackern herübersandten, bald die von Städten, die einen regelrechten

Lichtkranz über sich hatten; nach allem, was man sah, hatte die Überschwemmung die Gegend, durch die wir kamen, verschont, oder das Wasser hatte sich, so rasch, wie es aus den Erdritzen und Höhlen stieg, wieder in diese zurückgezogen, trockenes Land, so dass es keinen Grund mehr gab, uns mit dem Versprechen auf Feldbetten, warme Suppe und Tee über die Autobahn zu karren. Aber der Mann da vorn, der Mann am Steuer, machte nicht die geringsten Anstalten, bei einem der sich aus der Dunkelheit schälenden Schilder abzubiegen, sondern zuckelte auf der Mittelspur dahin, und sein Fluchen, das ich für ein Zeichen von Unzufriedenheit über das Ausbleiben des Zielorts hielt, Unzufriedenheit mit dem Weg, aber auch mit sich selbst, war verstummt und in ein leises, sich mit dem Motorgeräusch vermischendes Summen übergegangen.

»Hörn Sie«, sagte ich. »Hörn Sie, es reicht.«

Ich war wieder hinter ihn getreten und blickte über seine Schulter auf die helle Zwischenzone, die von den Scheinwerfern vor uns hergeschoben wurde. Eine Autobahnbrücke kam uns entgegen, auf der ein Bus stand, aus dem Leute gestiegen waren. Sie standen nebeneinander, aufgereiht, am Geländer und schauten herab, und als wir heran waren, sah ich (soweit man bei dem Licht etwas sah), dass sie wie eine Fest- oder Trauergesellschaft gekleidet waren, die Männer in schwarzen Anzügen, die Frauen in schwarzen Kleidern, und ihre Gesichter waren im gleißenden Scheinwerferlicht, das sie einen Moment erfasste, so weiß, dass ich an die anderen dachte, die Dunklen, die Starren, die an einem Sommertag vor einem halben Jahr auf der Kreuz As am Fenster meiner Wohnung vorbeigefahren waren. Und schon waren wir unter der Brücke durch, und ich hörte den Fahrer, der ebenfalls hochschaute, mit seiner blubbernden Stimme sagen: »Jetzt.« (Oder jedenfalls war es das, was ich verstand: Jetzt.) Dann wechselte er die Spur, an der rechten Fensterreihe flogen die Büsche so nahe vorbei, dass sie diese zu streifen schienen, und als ich zurückging, merkte ich, dass die Dorfleute aufgewacht waren: der Mann mit dem Buckel, der einen so kleinen Kopf hatte, dass man meinte, ihn mit zwei Händen umschließen zu können; die alte Frau, die auf Holzpantinen aus ihrem Haus geschlurft kam und sich an dem einmal wöchentlich haltenden Verkaufswagen mit in Scheiben geschnittenem Brot versorgte; die noch junge Frau mit den Zwillingen, die so dick war, dass sie sich in ihrem bunten Fitnessanzug nur unter größter Anstrengung (Meeressäuger an Land) durch die Straßen bewegte und jetzt die beiden nebeneinanderliegenden Sitze auf der linken Gangseite füllte – sie und all die anderen, die ich in den Monaten, die ich in ihrem Gemeinwesen verbrachte, niemals sah, weil sie nie aus ihren Häusern gekommen waren, die Unsichtbaren, die Zurückgebliebenen, die erst das Wasser aus ihren Höhlen auf die Straße am Trafohaus und dann in diesen Bus gespült hatte – schließlich Werner und Maren, das heißt, Werner schlief, während Marens Augen geöffnet waren. Sie saß kerzengerade da, und ihre sonst achtlos fallenden Haare hatte sie straff nach hinten gekämmt, im Nacken zum Knoten gerafft, wie an jenem Abend, an dem ich sie in ihrem Zimmer sitzen gesehen habe.

Ja, es war Ende November, ich hielt die Tür noch immer verschlossen, aber das änderte nichts daran, dass ich wieder lange vor fünf auf die Uhr zu schauen begonnen hatte, als wünschte ich mir ihre Besuche zurück, die doch jedes Mal den gleichen Verlauf genommen haben: Sie kam durch den Garten, öffnete, bald ohne zu klopfen, die Tür, zog noch in der Diele die Stiefel aus, indem sie die Fußspitze des einen auf den Hackenrand des anderen stellte, um dann auf Socken ins Zimmer zu treten, von dem aus ich sie erst durchs Fenster, dann vom Schreibtisch aus beobachtet habe, während sie umgekehrt kaum je den Kopf hob und ihre Blicke mich kaum zu streifen schienen, sondern bestenfalls für einen kurzen, abschätzigen Moment auf meinem Hals, meinen Schultern, den Armen und Beinen liegen blieben. Und die Liebe selbst? Eine manchmal, selten, ausnahmsweise mit Herumtasten und Kreisenlassen der Finger auf der Haut oder Händeküssen in die Länge gezogene Sache, in der Regel aber eine kurze, wortlose Raserei, in deren Verlauf ich von ihr, obwohl ihr Mund dann so dicht an meinem Ohr lag, dass ich ihren Atem spürte, fast nie mehr als ein verzweifeltes Ach zu hören pflegte, ach, als zöge sich aller Schmerz der Welt in diesem Ach zusammen, als bündelte er sich in diesem Drei-Buchstabenwort, als bräche er aus ihr hervor, und wenn sie den Kopf hob, war es, als würde er wieder unter Verschluss genommen. – Und dann, Ende November, nachdem ich es fast vergessen hatte, kam es zurück, als hätte es all die Wochen geschlafen und sei nun erwacht, dieses Wort, dieser Laut, der jetzt etwas Lustvolles hatte, ach, wenn ich morgens aufstand und in die Küche kam, ach, nachmittags, wenn ich am Schreibtisch saß und an die Leute, die mir begegnet waren, dachte, Daniel, Wilhelm, Konrad, Suse, Katharina, ach, sowie nachts, wenn ich in der Diele stand und meine Hand über dem rostigen Eisending kreiste, ich hörte es, ach, bis ich nicht mehr wusste, ob ich der Einladung nicht vielleicht doch Folge leisten sollte. Meine Hand hing über dem Schlüssel und zuckte zurück, in dieser Nacht aber, in der ich wieder dort stand, stieß sie herab – ich packte ihn und steckte ihn ein, nicht in der Absicht, ihn zu benutzen, sondern bloß, um ihn auf meinen nächtlichen Märschen über die Asphaltwege dabeizuhaben.

Die Nieselregenzeit war vorbei und die Zeit des strömenden Regens angebrochen, das Wasser stürzte herab, floss durchs Dorf und stand in den Wiesen, und als ich in dieser Nacht zum Dorf hinausging, sah ich, dass die Wege unpassierbar geworden waren, so dass mir nichts übrig blieb, als umzukehren, zurück zum Dorf, das auf dem Hinweg – wieder gegen halb zwei – in tiefem Dunkel gelegen hatte, doch als ich an den kreisrunden Platz kam, sah ich hinter den Fensterläden von Maren und Werner Licht, worauf ich in ihren Hof bog, aus dem mir das Trommeln des auf das Wellblechdach über dem Eingang fallenden Regens entgegendröhnte.

Das Haus lag mit dem Giebel zum Platz, die Tür befand sich an der Seite, eine Holztür mit drei Stufen davor, vor denen das herunterpladdernde Wasser einen See gebildet hatte. Nachdem ich die Stufen hochgestiegen war, tastete ich nach dem Schloss, und als ich es fand, schob ich den Schlüssel hinein, drehte ihn um, drückte die Klinke herab, um, eintretend, aus der Dunkelheit draußen in die noch größere innen, im Innern des Hauses, zu geraten. »Maren«, rief ich, mit halber Stimme, »Maren?« Nichts. Das Zimmer, in dem ich Licht gesehen hatte, lag im oberen Stock, also tastete ich mich zur Treppe, die sich, da die Häuser alle ähnlich gebaut waren, vor mir befinden musste, ja, links die Tür zur Küche, aus der ein ungenauer Geruch in die Diele drang, rechts eine Art Garderobe, jedenfalls etwas, woran Kleider hingen, und dann am Handlauf entlang die Treppe hoch, um auf halbem Weg über mir Licht zu sehen. »Maren«, rief ich wieder, aber leise, leiser als meine Schritte, leiser als das Trommeln vom Wellblechdach, das ich die ganze Zeit hörte, leise, für den Fall, dass sie es war, die dort saß, und nicht er, für den Fall, dass er schlief, um ihn nicht zu wecken.

Aber sie waren beide da, beide wach, wobei es aussah, als hätten sie schon im Bett gelegen und seien wieder aufgestanden, beide im Morgenmantel, er in einem rotblau gestreiften, sie in einem weißen, sie saß im Sessel, er stand, als sei er eben erst reingekommen, durch die andere Tür, die Tür auf der anderen Seite des Raums, die geöffnet war, so dass ich vom Türspalt aus das Fußteil der Betten sah, das Bettzeug und dahinter, verschwimmend, die Wand, er stand neben der Tür. Sie musste schon länger auf sein, denn sie war gekämmt, ihre sonst in Strähnen herabhängenden Haare waren straff nach hinten gezogen, während sein Haar – dünn, hell, wirr – vom Schweiß an den Kopf geklebt war.

»Maren«, sagte er, »Maren, komm doch wieder ins Bett.«

Und tat einen Schritt vor ins Licht, das von kleinen, an Leisten unter der Decke befestigten Lämpchen kam; die blanken Stellen unter seinen Augen waren von einem Geflecht winziger Äderchen durchzogen, in denen ein Pochen und Klopfen war, so dass sie zu beben schienen. Ihre Hände lagen unter dem Morgenmantel, ihre Beine waren übereinander geschlagen, ein Fuß hing in der Luft, und als er zu zittern begann, hob sie den Kopf und schaute Werner an, als wollte sie etwas sagen, doch dann stellte sie die Beine nebeneinander und legte den Kopf zurück. »Maren«, sagte er, »Es tut mir leid, es liegt nicht an dir, du bist wunderbar, aber ich ...«, kam heran, kniete sich vor sie hin und vergrub das Gesicht in ihrem Schoß. Nach einer Weile erschien ihre Hand, sie zog sie unter dem Morgenmantel hervor und strich über sein Haar, dann erschien auch die andere, und ich sah, dass sie etwas hielt; sie schwenkte den Arm herum und ließ ihn neben dem Sessel sinken, und als sie die Hand öffnete, fiel etwas zu Boden, ein kleines Messer, das mit der Spitze zum Türspalt zeigte, an dem ich stand und ins Zimmer schaute. Er kniete noch immer, während ihre Augen eine Stelle im Raum fixierten, eine Stelle über dem Fenster vielleicht, die ich von meinem Platz aus nicht sehen konnte. Und als sie auch die andere Hand auf Werners Kopf legte, stieg ich die Treppe hinab, hängte den Schlüssel an einen der Garderobenhaken und ging in den Hof.

Mittlerweile war der Bus in einer langen Rechtskurve von der Autobahn abgefahren und ruckelte über die Chaussee. Zwischen den Büschen tauchten die Lichter von Windrädern auf, in der gleichen Formation, wie ich sie von den Asphaltwegen aus beobachtet hatte, und als ich schon glaubte, wir seien in einer großen Kreisbewegung zum Dorf zurückgekehrt, verbreiterte sich die Straße, und wir kamen in eine Stadt, in eine Gegend der Stadt, die ein bisschen so aussah wie die Städte, durch die ich nachts ging, nachdem wir mit dem Kahn angelegt hatten. Peitschenlampen, die ein rötliches Licht auf eine Kreuzung warfen, Tankstellen, eine Reihe von Wohnblocks; vor einer Einfahrt war ein Metallgitter runtergelassen. Doch als wir in die Innenstadt kamen, schienen wir durch die Kulissen eines Heimatfilms zu fahren: Fachwerk, Erker, gehämmerte Messingschilder mit alten Handwerkssymbolen, die an Ketten vor den Geschäften hingen, als seien wir in das putzige Mittelalter einer riesigen Fußgängerzone geraten. War dies der Ort, zu dem uns der Fahrer bringen sollte? Wieder war dieses Ziehen und Zerren da, das mich zu zerreißen drohte, und auf einmal wusste ich, dass ich zurückwollte, zurück zu den Flüssen, zu den Anlegeplätzen, den Lagerhallen und Speichern, zwischen denen man sich verlieren konnte, nein, nicht zurück in meine Wohnung am Fluss, sondern auf ein Schiff, und wenn mein Patent abgelaufen war, würde ich von vorn anfangen.

Der Fahrer beugte sich über das Steuer, den Kopf schräg, als versuchte er einen Straßennamen zu entziffern, bog ab und hielt an einem Platz, auf dem Holzbuden errichtet waren, über den Wegen zwischen den Buden hingen Girlanden aus Tannenzweigen, in denen elektrische Kerzen befestigt waren. Er stoppte, und als ich rausschaute, sah ich, dass wir neben einem anderen Bus hielten, der in der Gegenrichtung am Straßenrand stand, so dass sich seine vordere Tür ungefähr auf Höhe der hinteren unseres Busses befand; es war ein großer Reisebus mit schwarzen Scheiben, hinter denen man niemanden, nichts, nicht das Geringste erkennen konnte; er stand da wie leer, wie abgestellt, aber er war nicht leer. Ich glaubte (und glaube noch), dass in ihm dieselben Leute saßen, die uns von der Autobahnbrücke entgegengesehen hatten.

Der Fahrer, den ich später fragte, was für ein Bus das war, zuckte mit den Schultern, in dem Moment aber, in dem er hielt, öffnete er die Tür, und Maren und Werner, die schon nach vorn gegangen waren, schlüpften hinaus, um sogleich in den anderen Bus zu steigen, dessen hintere Tür sich wie ein schwarzes Maul geöffnet hatte. Maren ging voran, Werner folgte, und als er auf die untere Stufe trat, drehte er sich noch einmal um und schaute zurück, und obwohl es dunkel war, Licht bloß von unseren Scheinwerfern, das auch ein wenig die Gasse zwischen den Bussen erhellte, sah ich wieder die Stellen unter seinen Augen, die glänzenden Stellen, in denen sich die Angst versammelt hatte.

Maren war schon eingestiegen, aber er stand noch da und schaute zurück, unschlüssig, ob er ihr folgen solle, und auf einmal tat es mir leid, dass wir nie mehr als die Worte am Zaun, auf der Dorfstraße, auf der er mir nachkam (und auf der gar nicht ich es war, der sprach, sondern er, er allein), und dann im Kinderboot gewechselt hatten. Er zögerte noch, dann gab er sich einen Ruck, stieg ein, sofort schloss sich die Tür hinter ihm, und der Bus glitt davon.

Der Rest, ach, der Rest ist rasch erzählt. Ja, es war die Stadt, in der die Notquartiere vorbereitet waren. Es gab Tee, Suppe, Wolldecken, freundliche Worte, und in einem Fernseher, der in einer Ecke lief, war der Kanzler zu sehen, der in einem Bundeswehrparka auf einem Wall aus Sandsäcken stand, in der Hand eine Schaufel, als sei er es gewesen, er selbst, er allein, der den Wall gegen das Hochwasser errichtet hatte und der das dann von der Presse übernommene Wort von der Dezemberflut prägte. Die Dezemberflut. Oder war es umgekehrt? War es so, dass er das Wort von der Presse übernommen hatte? Die Dezemberflut, hieß es in den Zeitungen, die ich mir am nächsten Morgen am Bahnhof kaufte. Ich las sie im Zug und schaute dann zum Fenster hinaus, an dem die nach dem nächtlichen Temperatursturz von Raureif überzogenen Felder vorüberglitten.

2. Auflage 2005

Herstellung: Thomas Pradel, Frankfurt am Main
Satz: Fotosatz Reinhard Amann, Aichstetten
Druck und Bindung: Clausen & Bosse, Leck
Printed in Germany
ISBN 3-627-00129-X
2 3 4 5 – 09 08 07 06 05